igloobooks

igloobooks

Published in 2021
First published in the UK by Igloo Books Ltd
An imprint of Igloo Books Ltd
Cottage Farm, NN6 0BJ, UK
Owned by Bonnier Books
Sveavägen 56, Stockholm, Sweden
www.igloobooks.com

Copyright © 2017 Igloo Books Ltd

All rights reserved. No part of this publication may be reproduced or transmitted in any form or by any means, electronic, or mechanical, including photocopying, recording, or by any information storage and retrieval system, without permission in writing from the publisher.

0921 005
6 8 10 11 9 7 5
ISBN 978-1-83852-193-6

Cover designed by Dave Chapman

Puzzle compilation, typesetting and design by:
Clarity Media Ltd, http://www.clarity-media.co.uk

Printed and manufactured in China

Contents

Introduction to Sudoku

Sudoku is a logic puzzle with simple rules. As such, it requires no knowledge of maths or mathematical ability. Although the puzzle contains numbers, these could be replaced with symbols of any sort as the numbers do not have any mathematical function.

Here is what a standard sudoku puzzle looks like:

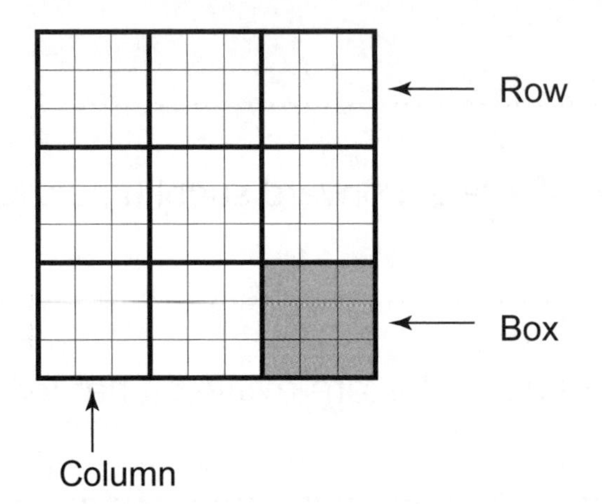

The aim of sudoku is straightforward: you must place each number from 1 - 9 exactly once into each of the rows, columns and boxes in the puzzle grid. The diagram above illustrates one row, one column and one box in the grid.

You will notice that each of these rows, columns and boxes - which are called 'regions' - contain 9 cells. In total there are 27 regions in the puzzle.

At the start of the puzzle, some numbers are already placed in the grid. The aim of the puzzle is simply to complete the puzzle by deducing which number must be placed in each of the empty cells in the grid.

There is only one solution, and it can be reached through logic alone - no guessing is ever required to solve any of the sudoku puzzles in this book.

No. 1

Easy

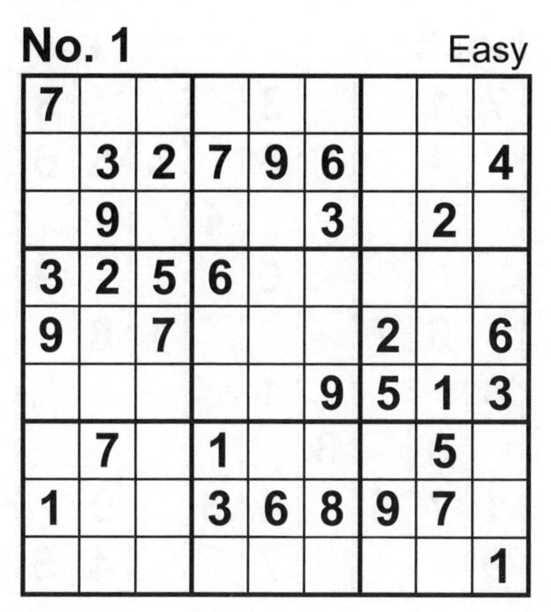

7								
	3	2	7	9	6			4
	9				3		2	
3	2	5	6					
9		7				2		6
					9	5	1	3
	7		1				5	
1			3	6	8	9	7	
								1

No. 2

Easy

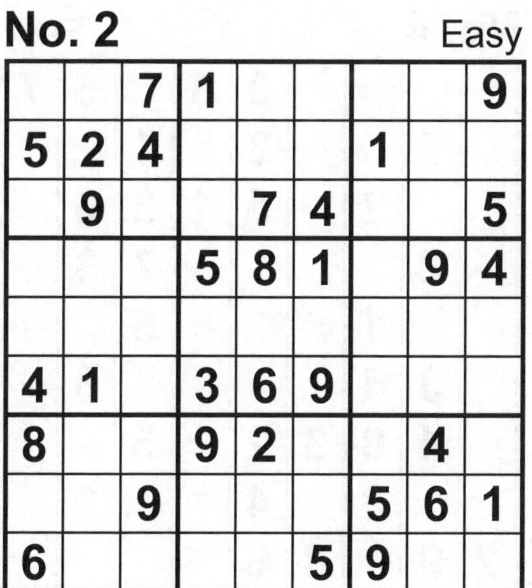

		7	1					9
5	2	4				1		
	9			7	4			5
			5	8	1		9	4
4	1		3	6	9			
8			9	2			4	
		9				5	6	1
6					5	9		

No. 3 Easy

7	1			3				8
	4		1	8		3	5	6
					4		1	
				6				9
	6	7				1	8	
8				1				
	8		3					
1	7	6		4	5		9	
9				7			4	5

No. 4 Easy

				9	8		5	7
	5			3		1		
		2		5	1	3	6	
	2					7	3	
		1				6		
	3	4					8	
	4	8	3	2		5		
		3		4			2	
2	9		8	6				

No. 5 Easy

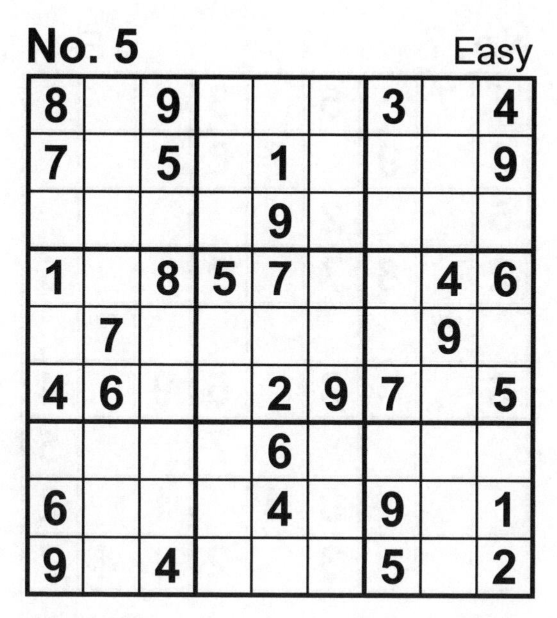

8		9				3		4
7		5		1				9
				9				
1		8	5	7			4	6
	7						9	
4	6			2	9	7		5
				6				
6				4		9		1
9		4				5		2

No. 6 Easy

					5	1	2	4
		2		8				
	4		7	2			8	
	2	6				5	3	8
	8						4	
5	7	9				6	1	
	5			1	7		6	
				9		4		
8	6	1	5					

No. 7

Easy

1	7		5		3			
3		9		7	8			
5			2					
2		8	7		9			6
	1						7	
6			8		5	9		4
					7			5
			9	4		1		2
			3		2		4	7

No. 8

Easy

3	7	8	4	5				
				7		9	4	
		4			2			8
2			7		5	8		
	1						5	
		5	6		8			2
5			9			2		
	8	1		2				
				8	4	1	6	5

No. 9 Easy

		7	1	6		3	4	
1	2							7
3		6			7		1	
	1			2	8			
			7		3			
			4	5			8	
	3		9			4		6
6							9	8
	4	9		8	6	5		

No. 10 Easy

		9	4	7		1	3	
	8		3		2	7		
			8	9		2		
3	4	1						
		6				9		
						4	6	3
		3		8	9			
		8	2		5		4	
	7	2		1	4	3		

No. 11 Easy

			9		4		8	
4		8			7	2		
	9			8	2			
2	7	9						1
	1	4				3	7	
5						6	4	2
			6	9			3	
		5	8			7		6
	3		4		1			

No. 12 Easy

6				5	8			7
	2	8						
	7		2	4				8
7	8		6	2	3		4	
	5		1	8	9		2	3
9				3	5		7	
						5	6	
2			7	6				9

No. 13 Easy

	8	1		9			6	
		9				7	2	
3	7			5		1	4	
				7	3			
	3		2		8		9	
			1	4				
	9	6		1			5	2
	1	3				9		
	4			2		6	1	

No. 14 Easy

4	7		2			8		
	6		7				4	
1	3	9				7	2	
	4	2	3	5				
				4	2	9	5	
	1	4				2	9	7
	2				6		8	
		3			7		6	4

No. 15 Easy

	3	8		7		1		
1								
5		2		8				3
6	1				2	3		
	8	5	7		6	4	9	
		9	1				5	6
9				2		6		7
								5
		3		5		9	1	

No. 16 Easy

9							3	1
				3				5
2		5		1	8			4
		3		2	5			
8		1	4		3	5		2
			1	9		3		
3			2	6		1		8
5				8				
1	8							9

No. 17 Easy

1			5				9	
	5	6	1		3			2
	3	4		9			5	
			9	3	2			
	6						1	
			6	1	7			
	4			2		5	6	
6			3		9	4	2	
	8				1			3

No. 18 Easy

2	8			4				
5		3			9	4	2	
		4		6	2	8		
		5		8				
6			9		7			5
				1		3		
		2	7	5		1		
	4	7	3			5		2
				2			8	7

No. 19 Easy

			6	9	7		3	
							6	4
3			4	1		2		9
1			7	3	9	5		
		7	8	5	4			1
5		8		7	2			6
7	1							
	2		5	4	1			

No. 20 Easy

2			6	1	4		8	
	1			9	3			4
6		4			8			
							2	1
7	2						6	3
3	6							
			1			3		6
4			8	3			1	
	3		9	5	2			8

No. 21

Easy

	7		2		1			5
		3				1		
5		1	6	8				
	8			1		9		4
		4	9		6	8		
7		9		4			6	
				7	4	5		6
		5				4		
9			3		5		1	

No. 22

Easy

5	1	9						4
	6		9		3		5	
8				1				
			3	4			2	
	3	1	7		2	4	6	
	4			5	9			
				9				6
	8		2		5		1	
3						5	4	2

No. 23 Easy

	4		8	1	3	6		
	3			4				
	8	1			6			3
			6	5	4	8	7	
	5	7	1	2	8			
2			4			7	1	
				8			9	
		8	9	6	7		3	

No. 24 Easy

			9				7	
	5			8			6	
3	9		1		7			2
		3	7	9	8			5
		8				2		
5			4	3	2	8		
6			5		9		2	8
	2			7			4	
	8				6			

No. 25 Easy

		5				1		3
						2	9	
9	3			2	1	4		7
8	6			5		9		
	7						4	
		4		8			3	5
3		7	9	4			8	6
	8	9						
4		6				3		

No. 26 Easy

		1	6		2			7
5		4	7					6
	6			4				
	7		1	3	5			9
1								8
4			8	2	7		3	
				7			9	
6					8	1		4
9			2		6	8		

No. 27 Easy

2	3		7			5	6	1
5			6					4
7			3				2	
8			1	6				
			8		2			
				3	9			8
	5				3			2
1					6			3
3	2	7			1		5	6

No. 28 Easy

3	4				1			6
9	6	1	8	4		5		
7				6				
	2			8	7			
		9				2		
			2	1			5	
				5				8
		4		2	8	7	6	5
8			4				1	2

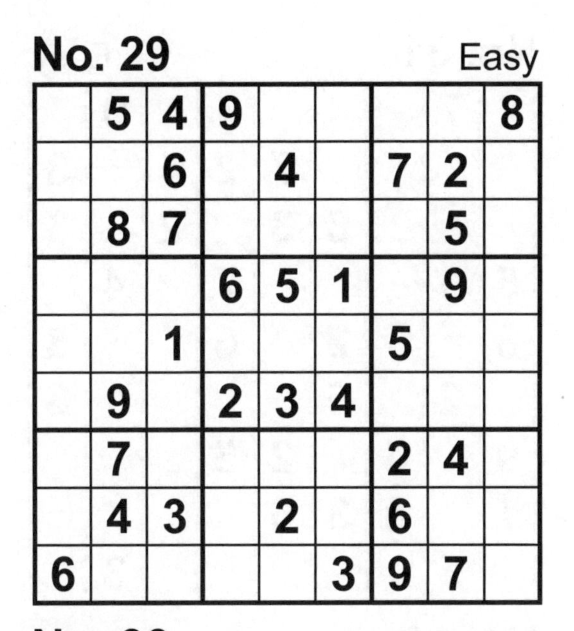

No. 29 Easy

	5	4	9					8
		6		4		7	2	
	8	7					5	
			6	5	1		9	
		1				5		
	9		2	3	4			
	7					2	4	
	4	3		2		6		
6					3	9	7	

No. 30 Easy

		7	6			9		1
		4			8			5
6			9		7	2	4	
					1			2
		1	3		9	5		
2			5					
	8	5	4		3			6
1			8			4		
4		9			6	8		

No. 31 Easy

	7						9	
				7	2	4		3
			6	3		2		7
5	6				7		4	
8			2		6			5
	2		5				1	8
9		4		2	5			
7		8	3	6				
	5						3	

No. 32 Easy

5		3			7			
4				6				3
		7	3	5		2	4	
	5		6	2			9	
		6				3		
	7			8	3		2	
	3	2		1	5	8		
1				7				2
			2			4		1

No. 33 Easy

4					9			1
	6			3			5	
9	2	1	5	7			3	
			7					
8	7	2				5	9	3
					2			
	3			1	7	8	2	5
	8			6			1	
1			2					9

No. 34 Easy

	7				4	3		
	4		9	3	8			
		2	7					
3			1	4			9	6
	6	4				1	7	
7	2			6	9			3
					5	8		
			4	7	6		3	
		7	8				1	

No. 35 Easy

	9		7	8		4		
8				2				9
		3		6			2	
	4	6					7	
5		8	6		4	3		2
	3					6	8	
	8			5		2		
9				4				7
		5		7	8		4	

No. 36 Easy

4						7		
1	7		9	5			4	
	9	6		4	1	2	5	
5								
	4	9				1	3	
								7
	8	4	5	1		6	7	
	5			8	6		1	3
		3						5

SUDOKU

No. 37 Easy

		4			3		2	5
7	3			5				
		1		8	4			7
	1			6				
4	7	5				1	6	8
				4			3	
1			4	2		7		
				7			4	3
2	4		9			8		

No. 38 Easy

		5		2	9		7	
9	2	3						
	1					6		2
	5	1	2	6		9		
	6						5	
		4		3	1	2	6	
8		9					1	
						7	2	9
	7		9	4		8		

No. 39 Easy

			8		2	7	3	
				7		4	6	
	7				1			2
3		1	2	8				
8	5						2	3
				4	3	1		5
5			1				7	
	8	9		2				
	1	3	6		8			

No. 40 Easy

9		1		4			6	
2	3				6		8	
	6	7		2	5			
	7			3	2			
		6				7		
			4	9			3	
			5	6		9	2	
	1		2				5	8
	9			8		1		6

No. 41 Easy

2	7				9			
	6	9		7				
1				2				7
3	5	2			4			1
	1	6				8	4	
4			1			2	5	6
5				6				8
				1		5	7	
			4				6	2

No. 42 Easy

	6			9		4		
				3	6		1	
	9		4			8	6	3
			2			1	3	6
		5				7		
7	2	6			3			
6	5	4			9		7	
	8		6	1				
		1		2			8	

No. 43 Easy

7	2	5		9	4			
	3							
1		9	5			3		
		2		4	1			3
	1		7		9		6	
8			2	5		4		
		6			2	5		8
							3	
			4	3		6	1	9

No. 44 Easy

9			1		2			3
	5			7		6		4
	6		4		5		8	
4			7				3	5
6	3				4			1
	4		5		7		2	
8		3		2			4	
5			8		3			7

No. 45 Easy

9			7					5
				1		7		
	7			6		1	2	9
6		1	9	2			4	
			6		4			
	2			8	1	5		6
1	6	8		7			9	
		3		9				
7					3			1

No. 46 Easy

						4	8	
	4				9		2	3
		7		4		6		5
	1	3		8		5		6
			4		3			
4		8		5		9	3	
3		4		1		8		
7	8		2				5	
	9	2						

No. 47 Easy

8		1			5		2	6
	3			2				1
2			8					
9	5			1			7	
7	8						5	3
	6			5			8	4
					2			7
4				7			6	
3	2		5			4		8

No. 48 Easy

2	1			5	6	4		9
	9		2			3		6
			9					
9	2			8		6		
		3				5		
		7		9			2	3
					4			
6		9			2		3	
8		2	1	3			6	5

No. 49

Easy

		9	1	2				4
	6			9			8	
2	7		4	8				3
		8			4			
6		1				4		8
			9			6		
9				4	1		5	7
	4			3			1	
3				5	9	8		

No. 50

Easy

2					4		5	7
8			5					
1	5		9	2	7			
	1		7	8				2
	3						9	
4				6	9		1	
			6	4	2		7	3
					8			1
3	2		1					9

No. 51 Easy

6				7				
9	7		4			3		2
		1	5			8		
5	2				1	6	4	
		4				1		
	1	6	7				2	8
		3			7	2		
8		2			4		5	9
				6				3

No. 52 Easy

7	8					2	6	3
			3	8				7
		6		7			1	
		1	4	5				2
			2		9			
2				6	1	4		
	1			2		6		
6				4	3			
3	4	7					2	9

No. 53 Easy

6		8		5		2	9	1
		9		4				5
7					2		8	
		2	7					3
1								7
4					9	8		
	6		2					8
2				8		7		
9	8	4		7		1		6

No. 54 Easy

			1		5		2	
6		1		2		9		
		3		8		1		5
		2						4
	3	8	4		7	2	1	
4						5		
1		4		5		3		
		9		4		8		1
	8		6		1			

No. 55 Easy

		8			2			7
	1			7			2	6
	6			4		9	8	
	3					2	6	8
		4				7		
6	2	1					5	
	7	5		3			9	
1	9			6			7	
2			7			5		

No. 56 Easy

9			4				3	
3	7		9	8				
	1	4	2			5		
	4					9		7
8	2						6	4
7		1					2	
		7			9	8	1	
				2	3		5	6
	3				8			9

No. 57 Easy

8	4	9		5		2		
			3			4	7	
	3		4				9	8
4							6	
6		7				1		9
	9							7
5	6				3		8	
	8	4			6			
		3		8		9	2	6

No. 58 Easy

1					6			
		9			1	3		8
		7	9	5		1		6
2					7	5		
6		1				7		9
		4	1					2
7		2		1	9	6		
3		6	5			9		
			6					7

No. 59 Easy

							5	4
2					5		6	
	6	9			3		2	7
		8	6	5		7	3	
			7		4			
	7	6		3	8	5		
6	8		5			2	1	
	9		3					5
1	2							

No. 60 Easy

	4	5	3			2	9	7
3					2		8	
			5	9				1
						9	1	
	9		2		6		5	
	3	4						
8				2	3			
	5		1					2
4	7	2			5	1	3	

No. 61 Easy

1			3			4		
4		3	1		2			
		2		8			3	
	3		5	4	9	8		
		4				3		
		7	8	2	3		9	
	1			7		2		
			2		8	7		3
		8			4			5

No. 62 Easy

8				5	3			6
9			8		1		3	
1	3			2		9		
6		9						
		3	5		2	8		
						7		4
		5		1			8	2
	6		4		5			9
7			2	6				3

No. 63 Easy

	1			2	9	8		
6	9		8		4			
8			5			4		
		1	6					8
7	3						2	4
9					3	7		
		9			2			3
			7		8		4	1
		4	9	3			8	

No. 64 Easy

1		8	9				7	
2				8		9		1
3				1	2		8	
	8		3					9
		2				5		
9					8		4	
	9		1	6				2
6		3		2				7
	2				9	8		6

No. 65

Easy

			6		4			2
7				5	1	4		8
		1		7		6		
	5	4	8					
	8		4		6		5	
					3	2	8	
		8		4		3		
4		6	7	8				1
1			3		5			

No. 66

Easy

	9	2				4		
	7		2		4	3		1
1					3	7		
		9		3				4
5	8						3	9
6				5		1		
		7	3					8
4		8	1		9		7	
		3				9	1	

No. 67 Easy

						4	7	9
9	8		6	7			2	1
4	5			1			6	
	9				7			
			8		3			
			4				8	
	2			8			4	5
8	4			2	1		3	6
6	3	9						

No. 68 Easy

			4	1			9	
2	5			7	3	1		
1							3	8
5	7		9	3				
		8				9		
				5	6		7	4
7	8							1
		1	3	8			6	9
	9			6	1			

No. 69

Easy

2	7			9				
6			3			9		
		1	8	4	2	3		
8		9						5
	1		4		5		9	
4						6		1
		6	7	5	3	4		
		4			9			6
				8			3	9

No. 70

Easy

2	9		5				7	3
	3		8					
	4	6	3		2			
	2	9			7			
	1		6		3		5	
			1			2	6	
			9		1	5	3	
					5		2	
3	5				8		1	6

No. 71 Easy

		3			4	5	9	
1	5					8	2	
			1		5			3
			4			2		
8	4		3		2		1	6
		9			6			
4			6		8			
	7	8					4	9
	9	6	2			1		

No. 72 Easy

		4			7		5	
	5			6		1		8
9		8	5	2			3	4
				5				
		6	7		3	9		
				9				
4	2			8	9	5		1
1		9		7			4	
	6		4			7		

No. 73 Easy

		7		9				2
6			8		5			
	3		7	2			9	
3	1		5		9		2	
2								9
	9		6		2		8	1
	8			5	3		6	
			9		7			3
9				4		2		

No. 74 Easy

				1	2	7		
		9	7		4		3	1
	1		9			4		
	9						8	3
1	5						2	4
8	4						7	
		4			9		1	
5	3		2		7	8		
		8	6	3				

No. 75

Easy

5				9		3	1	4
6					5	7		
8					3		5	
	6			4				
7	5	1				4	8	9
				5			6	
	8		2					1
		6	1					3
1	7	9		3				2

No. 76

Easy

			7					
	9	6	4	2	1	5		
	3				5	6		
3			9			1		4
6		8				3		5
9		4			2			6
		9	2				5	
		1	5	3	9	7	6	
					4			

No. 77 Easy

		8	4	5				
4		7						
	6	3		9	7			1
	5	1	3	2				
	8		5		9		2	
				8	4	5	6	
2			7	1		4	9	
						7		2
				4	5	3		

No. 78 Easy

	8				3			1
		3		9		8		
7		6	8	5				
	7				9	4		5
		5	4		7	3		
4		1	5				6	
				2	5	1		9
		9		4		7		
5			9				3	

No. 79 Easy

9			6					
	5		9	8				4
2	8		5				1	6
		9	8	1				7
		6				3		
7				4	6	1		
4	9				7		6	3
5				3	9		7	
					8			9

No. 80 Easy

9								
	6		5	1		7	4	
	7				2	5	3	9
	4			6				1
	2	9				4	5	
3				5			2	
7	9	4	8				1	
	5	6		4	1		9	
								4

No. 81 Easy

				4		9		8
							2	6
8	4	3					7	
6			5		7		4	
3		7	4		9	8		5
	9		8		1			2
	8					6	9	4
2	7							
9		4		8				

No. 82 Easy

					5			
7	6		9				1	
5		4	7		1	6		
	5	7	6			3		
2			1		3			7
		9			7	8	5	
		5	3		2	7		9
	1				9		6	2
			5					

SUDOKU

No. 83

Easy

5				9		6		
		2		4	1			5
		9			6			2
		6		1		2		3
		4	3		5	9		
3		1		2		5		
4			2			8		
1			6	5		4		
		5		8				6

No. 84

Easy

	8		9		6			3
				7	4			1
2		9			1		5	
			5			3		6
	1	7				5	8	
9		5			8			
	5		1			2		7
7			6	4				
1			7		3		6	

No. 85 Easy

2	8					3	7	
7	4				2			
	3	5				2	1	
			7	2	6			
	6		9		1		2	
			3	4	5			
	2	9				7	3	
			2				4	1
	5	8					6	2

No. 86 Easy

8	6	2		4	1			9
		7	6		8	2		
			2					
	4					6		
	2	1	9		6	4	5	
		6					2	
					9			
		5	1		7	9		
2			4	8		7	6	1

No. 87

Moderate

						4	8	
9				7			5	
	1	7	4					3
5	7							
		8	9		1	6		
							3	8
8					4	7	1	
	4			3				9
	5	2						

No. 88

Moderate

1			3			9		
			7		9			
			5	4		8	3	
	5					6		7
		4	9		5	2		
2		7					4	
	7	2		5	6			
			2		4			
		8			7			4

No. 89

Moderate

2					6	5		7
			5		4	2		9
5				9			4	
1		4						
		5				8		
						4		3
	6			1				5
8		2	6		9			
4		1	8					2

No. 90

Moderate

	6		2			8		3
	1			8				
		3		4				
7			3			2	9	
	3	1			9			4
				3		5		
				6			2	
5		9			4		1	

No. 91 Moderate

			7		1		5	
8			2				7	
	9	5	6			2		
	7					6		
6				5				7
		4					9	
		2			7	8	4	
	5				2			3
	1		8		3			

No. 92 Moderate

	9		7					6
				9		1	4	
	2	6		5		7		
	6	7		3				
			5		1			
				6		8	2	
		2		1		5	6	
	7	3		2				
5					6		8	

No. 93 Moderate

	4			3			1	
		3	7					
7	9					8		6
4		8			9			
	7		6		5		2	
			1			7		9
6		5					7	8
					7	1		
	1			9			4	

No. 94 Moderate

								8
8			9		7		4	
	7			4	8	9	1	
				1		2	9	
4								1
	3	5		9				
	5	9	4	8			7	
	6		1		2			9
3								

No. 95

Moderate

		8		9	2			4
1	9		5	7	3			
		1			9		2	
5				8				6
	8		2			3		
			9	2	8		6	7
2			7	6		1		

No. 96

Moderate

3				7			5	
			3			7	8	
					8		6	
		9		3			4	
7			2		6			8
	3			9		5		
	4		9					
	6	3			5			
	2			4				1

No. 97 Moderate

					3		1	6
8	5							
		6	1	5			7	
	2	4		7				9
9				6		1	4	
	8			3	2	6		
							8	4
5	6		4					

No. 98 Moderate

	2	5		9				1
8				3			7	
			1		5			
1	5	7						
		4				7		
						5	6	4
			3		9			
	9			6				8
2				1		6	3	

No. 99 Moderate

3			4		7			
2	7			6				
	5							6
				8			4	
	2	6	7		9	5	3	
	8			1				
5							7	
				2			9	4
			8		3			5

No. 100 Moderate

5			1			6	4	
					5			
8		2					5	
	7			1	4			
2								9
			6	3			7	
	1					9		7
			7					
	2	4			9			1

SUDOKU

No. 101 Moderate

3					1		2	8
				3				7
8			6		7	3		
	6			8				
4			7		2			1
				9			7	
		9	8		6			5
6				5				
1	2		3					6

No. 102 Moderate

	9				5		3	
4								
		3	2			8	7	
				1			6	7
	7			9			2	
1	5			4				
	2	1			9	6		
								2
	6		8				1	

No. 103 Moderate

			2	4			6	7
7					6	1		
			8			2		
1					8			6
		4		6		5		
3			9					1
		6			3			
		8	1					3
9	7			8	5			

No. 104 Moderate

2						6	3	
3		7				2	1	
				3				5
9		4	7					
5				6				3
					2	5		9
7				4				
	4	5				8		1
	9	8						7

No. 105 Moderate

		4	1					
		9	7		2			
		7				5	8	
5					8			2
	7			6			3	
9			2					6
	1	3				7		
			6		4	2		
					1	6		

No. 106 Moderate

				3	4			
	6					3	1	2
		7		9	6			
7						9	8	
	5	8				7	3	
	9	1						6
			7	8		1		
1	7	5					9	
			9	4				

No. 107 Moderate

5					8		9	
6		8	9		1		4	
								1
	1			2				
		4	1		9	8		
				3			6	
1								
	4		3		2	6		5
	6		4					3

No. 108 Moderate

					7			3
9		4	5	6				
	3	5	9				6	
		7					3	2
		9				7		
3	1					8		
	4				9	3	8	
				5	6	1		9
2			3					

No. 109 Moderate

		6			2			8
3			1			6		5
					7	3	2	
		5		7	6			
	9						4	
			8	4		5		
	6	9	7					
4		8			5			7
5			6			1		

No. 110 Moderate

5			3					
		2			9	6		8
9					5	2	7	
		7		6				4
			8		4			
6				9		7		
	7	5	9					2
3		8	2			9		
					8			1

No. 111 Moderate

3						6		
		6			9	8		7
	1	9					4	
	5			7	4			
				5				
			1	9			7	
	7					1	6	
6		1	3			9		
		2						8

No. 112 Moderate

		7						5
			3				2	
	5		9	4		7		
2	4				1		7	
	6						8	
	7		4				3	6
		4		3	2		5	
	3				4			
9						8		

No. 113 Moderate

						2		8
2	5		8	4		9		
	7						4	
	4				6			
	8		4		5		2	
			3				1	
	2						3	
		3		7	8		5	1
4		5						

No. 114 Moderate

8				3				
	5	2				6		
			2	5	9	4		
4	8							
	7	5		4		8	1	
							4	5
		3	4	6	5			
		7				1	9	
				1				6

No. 115 Moderate

	9				8	5		
6		8					9	7
		7	9	4				
9		6		7				
				2				
				5		3		2
				1	3	7		
3	7					6		1
		1	5				2	

No. 116 Moderate

	2					6		
6	8					9		
			6		1		8	
	6	7			3			8
3				4				6
2			5			3	1	
	1		3		7			
		6					3	4
		5					2	

No. 117

Moderate

7				1			5	3
					7			8
	5				6	9		
	1	3		8	4			
9								5
			3	5		1	6	
		1	9				2	
6			7					
8	9			2				6

No. 118

Moderate

	7	3						
5		1	2					3
						1	8	
				2		7	9	6
3			1		7			4
4	6	7		8				
	4	2						
7					6	2		9
						5	7	

No. 119

Moderate

			9			3		
	6							
3	8	2			5	1		
	2		7		3			1
4								5
1			8		2		9	
		1	5			2	7	4
							1	
		7			6			

No. 120

Moderate

		1			4	7	9	
				6		3	5	
			5	9			1	
8		9						
	7						3	
						9		8
	2			5	3			
	1	4		8				
	9	8	1			2		

No. 121 Moderate

5			7		8	1		
		8	4				9	
				3			5	
2	7	4				9		
		6				7	3	4
	1			6				
	4				2	8		
		2	9		7			3

No. 122 Moderate

1			2					
4		2					1	
9		8	6				4	
	9	3			2			4
				5				
7			9			6	2	
	4				3	9		8
	7					4		2
					8			6

No. 123 Moderate

2	1		9		6			
4								
		7				3	9	
1			4				8	
		6	8		5	4		
	8				2			1
	5	8				6		
								7
			5		9		4	3

No. 124 Moderate

1			2				5	
						8	6	3
9			8		5			
				9			3	1
	3	1				9	4	
7	4			3				
			1		2			6
2	1	8						
	5				7			2

No. 125 Moderate

		8		3			7	4
9		4	2				3	
	7				9			
2						6		
	9	3				4	8	
		6						2
			9				4	
	6				3	2		1
1	3			4		7		

No. 126 Moderate

	8					9		3
		6						
9	3				5		1	
	6				7		5	4
			2	1	4			
4	2		5				7	
	4		6				2	1
						7		
8		3					9	

No. 127 Moderate

	8			5				
4	5					9	2	
		7		4				1
5			9	7		4		
		4		3	5			6
7				1		8		
	6	8					3	4
				2			9	

No. 128 Moderate

6					4		1	
		9	8	3				2
	2							8
				7		9		
	5		1		8		6	
		7		5				
3							9	
8				4	7	2		
	9		2					5

No. 129 Moderate

					9			2
				8				6
3		5	7					
		1	3	2				7
6		8				2		9
7				1	8	6		
					7	5		4
2				4				
1			8					

No. 130 Moderate

		9		4		7		
	4		5					6
		6						1
8	7			6				
6		2				5		8
				8			9	2
3						4		
2					6		1	
		1		3		2		

No. 131 Moderate

	7					9		2
4	3				7		8	
	1		5					
9				8				
5		6				2		7
				5				8
					1		2	
	9		8				7	5
7		2					3	

No. 132 Moderate

			7					
	1			5		4		
4			2			3		1
2		1					3	
9			1		6			5
	7					1		9
6		3			4			2
		4		7			8	
					5			

No. 133 Moderate

	5			8		2		
1			3		9		8	
	9				7			
		5		3		4		
2	3						9	8
		4		9		3		
			8				5	
	1		2		3			4
		7		5			2	

No. 134 Moderate

	1		9				7	8
					3		1	
			5				2	9
	5		6					2
		3				7		
7					4		5	
1	6				5			
	2		1					
9	7				6		3	

No. 135 Moderate

	3		5			8		6
8				7				
7		5					4	
		6	9	2	1			4
9			8	4	7	1		
	7					6		8
				1				7
6		4			3		1	

No. 136 Moderate

		1			2	6		
8	5				1			
2					5		7	
	1			5	8	2		7
9		2	1	6			3	
	7		5					2
			7				8	4
		3	9			7		

No. 137 Moderate

3							1	4
5					9	8		
					5		7	
	6			7				
1	7		2		3		9	8
				1			4	
	9		3					
		8	4					3
4	3							9

No. 138 Moderate

4		8	1			7		
				9		4		
2			7					
5		6	2				4	
1			6		9			7
	4				7	6		1
					1			2
		7		3				
		1			6	8		9

No. 139 Moderate

		2			1			
			3			5		
8		7	2	4			9	
1			5				7	2
		3				6		
4	2				8			5
	8			1	2	7		9
		4			3			
			8			3		

No. 140 Moderate

				1	9		7	
						6		
	2	1	3		7	9		
	9						3	
4	3			8			6	7
	6						5	
		6	4		5	3	2	
		4						
	8		2	6				

No. 141 Moderate

8			7				5	
5	2		1				3	7
		1	8			6		
								3
			6	9	7			
4								
		4			8	1		
6	8				1		7	5
	7				6			2

No. 142 Moderate

	4	8	1		6			
5			8	2				
9							7	
		7					9	
	9	4		1		8	2	
	6					4		
	8							4
				8	2			5
			4		3	2	8	

No. 143 Moderate

					3			
	8		5		6	3		
		2			7		5	
	2	3						6
		6		4		7		
7						8	9	
	1		7			5		
		9	3		2		4	
			8					

No. 144 Moderate

		2	4					6
	9							
	3	8		5	9			
							2	3
7		4		8		6		1
2	6							
			5	7		3	8	
							6	
9					3	5		

No. 145 Moderate

		1			7		5	
6								7
	5		1	4		8		
		5	8		4	6		
	2						7	
		9	5		3	2		
		6		3	8		2	
2								8
	3		2			9		

No. 146 Moderate

5			4		2			7
			6			2		
6					1	9		4
7	1							8
			7		6			
2							4	9
3		6	8					5
		5			7			
8			2		3			6

No. 147 Moderate

5			9		4	1	7	
	9		1	3			5	
	4			6		9		
								7
			6		5			
3								
		2		1			4	
	7			4	6		9	
	1	4	3		9			2

No. 148 Moderate

						3		
8	6	3		5				
	5			3		2		
	4		8			9	5	
	1		9		4		8	
	8	2			5		1	
		7		9			2	
				8		1	3	7
		8						

No. 149 Moderate

		6		2	3			
		5	7		9			
	9						3	
4			9		7		6	
	8			3			7	
	7		2		4			1
	6						8	
			4		8	1		
			1	9		2		

No. 150 Moderate

	3					4		
4				1				
6		8	4	7			9	
		7		6		5		3
			8		3			
1		3		5		8		
	8			4	7	6		5
				2				7
		6					2	

SUDOKU

No. 151 Moderate

			5			6		9
	8	9		3				
2			9				3	
				2			6	4
			8		1			
5	7			4				
	2				9			8
				6		4	1	
1		4			8			

No. 152 Moderate

	4						1	
					4	9		6
	7	1	6		3			
7			1					
	2		7	4	5		6	
					6			3
			5		8	6	3	
5		8	4					
	9						4	

No. 153 Moderate

9		6	5	8				1
		7			1			
		8	3					
						1		5
	2	3		1		6	7	
7		1						
					5	3		
			2			8		
8				9	3	2		4

No. 154 Moderate

			4	6				
		9	3				7	
	3			9		6		2
2							5	
9		3		2		1		4
	8							3
7		8		3			9	
	2				6	5		
				5	4			

No. 155

Moderate

9				6	3			
8	7		2			3	6	
					5	7		
4	3					5		
2								1
		7					9	3
		2	8					
	4	1			2		5	6
			5	1				7

No. 156

Moderate

	6					2		7
					2	5		
			7	3				8
				7		4	2	
	3	7		4		1	9	
	1	2		9				
5				8	9			
		6	3					
3		8					4	

No. 157 Moderate

7			3		9	1		8
	4			5			2	
3					1		5	
		4		1				2
2				3		4		
	6		8					1
	7			2			8	
9		8	1		5			3

No. 158 Moderate

4		6			5		8	
		7	3		6			
				4		9		
	2						3	7
	1		9		2		5	
5	4						9	
		5		8				
			7		1	5		
	6		5			2		8

No. 159

Moderate

5						4	2	
			1		2		7	
3				7		8		
	1		6			5		8
8		9			4		3	
		3		6				1
	8		9		3			
	6	4						3

No. 160

Moderate

					4	5	9	
				1		7		
2					7			6
	8						3	7
4			2		5			1
9	2						5	
7			5					8
		4		6				
	1	8	3					

No. 161 Moderate

				9	4			
	7		1			4	8	
4			3				5	
3		5						
	4			8			1	
						6		7
	8				6			3
	6	1			3		2	
			9	7				

No. 162 Moderate

		2	3					6
	7	6	4					
	9	5		7			8	
	5			4		6	1	
	3	7		6			9	
	2			9		3	6	
					2	8	5	
5					1	2		

No. 163 Moderate

1							3	
	7	5			6			8
		9		4	1		7	
			8					5
			6	5	7			
8					9			
	9		1	8		7		
7			2			9	8	
	6							4

No. 164 Moderate

3			9				7	
5	7		6					8
	8		1			3		
						5		4
		7		9		8		
8		6						
		9			1		8	
6					3		9	2
	4				9			7

No. 165 Moderate

					4	6		
							9	2
6	5	1		3				
2			8			9	6	
			6	5	3			
	6	7			9			8
				1		2	7	9
7	8							
		4	3					

No. 166 Moderate

		5			9	4		
7			8				9	
	9			6		1		8
						9	1	
			5	7	4			
	4	3						
2		8		5			3	
	6				8			1
		4	1			8		

No. 167 Moderate

	2		5		3			
	6					8		
5	9	7		8				
9			1		8			
		1				9		
			9		5			7
				6		4	1	8
		6					2	
			8		4		3	

No. 168 Moderate

3	5		4				2	
			5		7		1	
				6			5	
4						8		
1			2		8			6
		9						4
	1			7				
	3		9		2			
	9				4		6	7

No. 169 Moderate

	9	4				6	5	
		3	7					
	2		5	6			3	
					6			2
			4	7	2			
7			3					
	7			2	9		6	
					5	4		
	3	8				5	2	

No. 170 Moderate

1		5						
			2		6			9
	7			5	8			
4					9	7		1
	9						6	
5		7	3					4
			1	4			8	
2			7		5			
						3		7

No. 171 Hard

		8		4	2			
	7	3		5				
	5			7			8	1
						5	3	
		6				2		
	4	7						
6	9			8			7	
				1		4	9	
			7	6		8		

No. 172 Hard

	7		2		4	1		
					3			2
		2		8		5		
2	9					7		
	4						9	
		7					2	1
		3		5		4		
7			1					
		5	9		2		8	

No. 173 Hard

	1			6	9		4	
		6	1					2
		2		5			8	
		1					3	
9								8
	4					2		
	3			9		4		
6					4	3		
	2		3	1			5	

No. 174 Hard

	4				5			
8						5		
			1		7	2		
6			9			3		7
	3			6			9	
4		9			1			6
		8	4		9			
		2						3
			6				7	

No. 175 Hard

			2	1		3		
		1			5			
7	4			6				
5						6	8	
3				4				5
	8	2						9
				7			6	4
			6			1		
		8		3	9			

No. 176 Hard

4		7	9					1
	9	2	1	3				
							3	
		5	8					
	1			9			2	
					4	8		
	5							
				2	7	4	9	
2					9	5		3

No. 177 Hard

				9		5		6
				7	3			
	6	1			2			
						3	7	
5		6				8		9
	1	3						
			8			9	3	
			9	4				
9		5		3				

No. 178 Hard

	7			2				8
2					1		9	
		9		7				1
	2		7			3	5	
				3				
	6	3			9		2	
8				9		7		
	1		2					5
5				4			1	

No. 179

Hard

		6		5	4		9	8
1				2		7		
							2	
9		8	6					
2				8				7
					7	8		1
	1							
		2		4				9
6	8		9	7		2		

No. 180

Hard

	2		8	4	1			
7								
	6	4				3		
					4		9	5
	9	2		7		4	3	
4	8		6					
		1				9	8	
								7
			7	1	6		2	

No. 181 Hard

		4			6		7	
1	6							
			3	2		9		
8	7	6	4				1	
	1				5	6	8	3
		1		4	7			
							3	5
	2		9			8		

No. 182 Hard

		4		3			7	
					2	1		3
5							9	
					1		8	7
	1		7		5		3	
9	4		8					
	8							4
4		6	2					
	2			4		8		

No. 183

Hard

			9			7		
1	4		5				6	
		2		8				
	2	5						6
8				5				3
3						9	2	
				3		4		
	1				6		9	7
		4			9			

No. 184

Hard

6			3					
						1		2
		2			8		9	
	9			1	4			
	4						2	
			2	5			3	
	8		6			7		
1		9						
					5			4

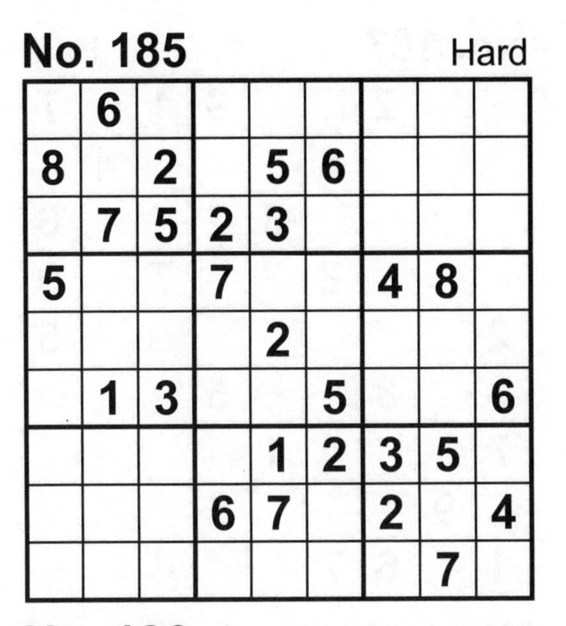

No. 185 Hard

	6							
8		2		5	6			
	7	5	2	3				
5			7			4	8	
				2				
	1	3			5			6
				1	2	3	5	
			6	7		2		4
							7	

No. 186 Hard

							7	
5	1			9	7			
	9			4		1		5
4			7				6	8
				8				
6	2				9			3
9		5		1			8	
			9	6			3	1
	4							

No. 187 Hard

		2			9	1		7
			6				4	
				8	2			6
			8			7		9
2								5
3		8			5			
7			4	1				
	9				6			
1		6	7			4		

No. 188 Hard

					7			
	8	2						1
			6	2			4	
	1	5		4				6
4			8		5			7
6				1		5	3	
	9			8	4			
3						4	8	
			5					

No. 189 Hard

			5	4				
	7				2	5		
9							1	
2					3	4	7	6
				8				
4	6	1	9					8
	8							9
		7	8				6	
				3	4			

No. 190 Hard

	2				7			8
				4			6	7
	9					5		
1		8					9	
			9	6	1			
	5					2		6
		4					5	
6	1			8				
8			5				7	

No. 191 Hard

		5	3					
	3			7				
	9				2	8		6
		2			4			
5		8				9		1
			9			2		
2		7	6				9	
				4			1	
					7	5		

No. 192 Hard

	1				5		6	
6				9			3	
		2			7	4	1	
8			3		4			9
	6	1	5			7		
	3			5				2
	7		6				5	

No. 193 Hard

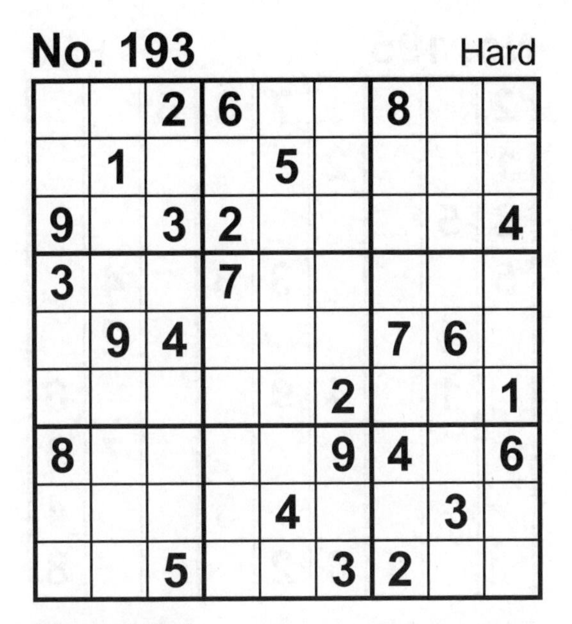

		2	6			8		
	1			5				
9		3	2					4
3			7					
	9	4				7	6	
					2			1
8					9	4		6
				4			3	
		5			3	2		

No. 194 Hard

4				1	2	7		
	5			7			6	
			9				5	8
						3		7
	7						8	
2		6						
3	1				4			
	2			3			4	
		9	6	2				3

No. 195

Hard

2				7	3	8		
1			2					
8	5							
5				3	6		4	
	4						2	
	1		4	9				6
							7	9
					5			4
		1	6	2				8

No. 196

Hard

	1	5				7	8	
			8		5			
	3			4				
					8		4	2
	8		1		2		5	
2	6		9					
				8			1	
			4		1			
	2	1				9	6	

No. 197 Hard

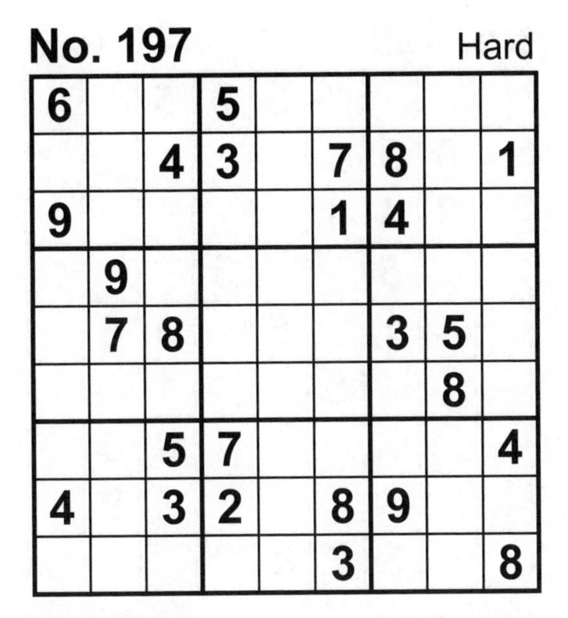

6			5					
		4	3		7	8		1
9					1	4		
	9							
	7	8				3	5	
							8	
		5	7					4
4		3	2		8	9		
					3			8

No. 198 Hard

				8			9	
						5		2
5			7		9			4
1	6						2	
		5	3		8	9		
	2						5	3
7			1		2			9
6		1						
	3			6				

No. 199

Hard

				8	9	5		
	6	9						
	3	4	1					
		5			3			
	4	1		5		3	6	
			8			1		
					1	8	3	
						2	9	
		3	7	4				

No. 200

Hard

	9		2	5		8		4
			6				3	
1								2
9		4		8				
	6						7	
				7		5		3
6								7
	3				9			
4		2		1	7		9	

No. 201

Hard

		4	2			7	5	
		7	4	3				
								4
	8				7	1		
6		9				2		8
		2	8				7	
8								
				4	6	8		
	3	5			9	6		

No. 202

Hard

					7		6	
	2	7		9				4
9		3			2			
2		5						
	7		4	3	9		5	
						1		8
			8			7		1
7				6		4	3	
	1		9					

No. 203

Hard

							3	4
5	2				4			
	8		7					5
		5		8	6		7	1
				2				
1	9		3	5		6		
8					5		6	
			6				8	3
4	1							

No. 204

Hard

								2
	8		3	7		1	5	
	1		9		2	6		
							1	
7		8				3		9
	5							
		2	6		3		8	
	4	3		5	9		7	
8								

No. 205 Hard

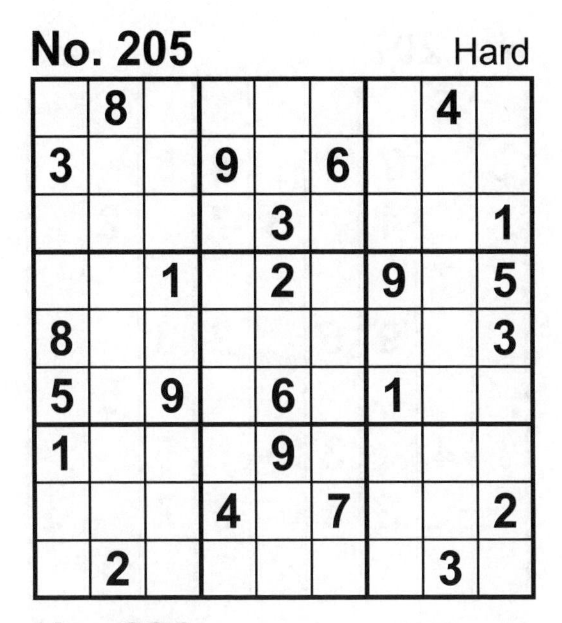

	8						4	
3			9		6			
				3				1
		1		2		9		5
8								3
5		9		6		1		
1				9				
			4		7			2
	2						3	

No. 206 Hard

	5							3
	4		7	6	5			
8			3					
		5					1	9
	1	6		4		7	3	
7	2					5		
					4			1
			2	3	9		5	
5							9	

No. 207

Hard

	5							
3		7	1		4	8		
		1		3	7		2	
	7							
		9	6		2	3		
							5	
	4		3	9		5		
		2	4		8	7		6
							9	

No. 208

Hard

			4			3		2
		3					4	
		8	7					5
			5		8	6		
7				6				9
		4	9		2			
8					6	1		
	4					8		
2		1			9			

No. 209 Hard

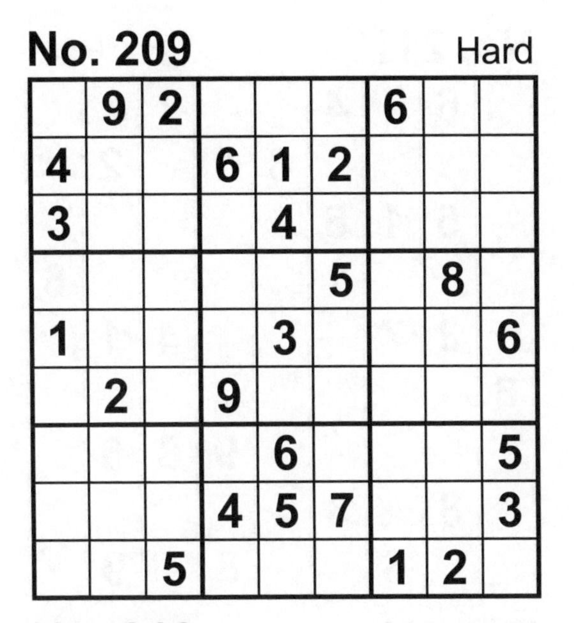

	9	2				6		
4			6	1	2			
3				4				
					5		8	
1				3				6
	2		9					
				6				5
			4	5	7			3
		5				1	2	

No. 210 Hard

8				4			5	
	3							8
			8			4	1	
	6			1			2	
1		3				5		7
	2			5			3	
	8	6			2			
3							9	
	1			9				2

No. 211

Hard

	6		4			7		
				8	1		2	
	5	1	6					
			1					6
	3	7				4	1	
6					2			
					9	8	5	
	8		3	4				
		6			8		9	

No. 212

Hard

				3	4	8		
	5		2				4	
9				5		2		
4	1	2						
		8				4		
						3	1	2
		5		4				8
	2				7		3	
		3	9	1				

No. 213 Hard

4			2			7		
					4			
	5	9	7	6		2		
	2				3			
	4	3		1		6	5	
			5				1	
		6		8	5	1	3	
			1					
		4			7			5

No. 214 Hard

8			3		5	7		
		7		8				
	2						8	4
	3		7			8		
4				3				6
		8			6		1	
7	9						6	
				4		5		
		5	6		1			8

No. 215 Hard

	5	6		9		8		2
1		4					9	
				1				
						1		9
4			9	6	7			8
9		5						
				2				
	8					2		6
6		1		8		7	5	

No. 216 Hard

	4	5			6			
	2		5				3	
1				4		2		
		6	3					7
				8				
2					5	3		
		3		9				2
	9				7		6	
			6			5	1	

No. 217 Hard

5					1	3		
	7	1		6		8		
	9							2
	8		5					
			7		6			
					2		9	
1							2	
		3		7		4	8	
		4	3					6

No. 218 Hard

		7						
	8			1			2	
9	2	1				3		
		6	2			8		
8			7		3			4
		3			4	7		
		8				9	1	3
	1			6			8	
						4		

No. 219

Hard

	1				7		8	
		5			6		9	
			1	5				7
	3	6		9				
		4		7		9		
				1		3	5	
5				3	8			
	9		4			6		
	4		5				2	

No. 220

Hard

				3			2	
9	7	1						
	6		9				7	
		8	5		6			4
		9		2		5		
1			4		8	7		
	9				4		5	
						3	4	1
	1			8				

No. 221 Hard

	9	6	4					
2						4	8	
			5					3
		5	3		4			
		7		6		9		
			1		9	2		
7					1			
	8	2						6
					2	5	4	

No. 222 Hard

					2		8	5
				3				
		4			7	1	6	
	6		5			4	2	
	3						9	
	5	9			4		7	
	4	8	2			6		
				6				
9	7		4					

No. 223

Hard

	9					5		6
		1	6	9				
	4		5					
	2							7
		7	4		6	1		
6							2	
					8		5	
				1	3	6		
9		2					4	

No. 224

Hard

					1	6		
7	8						3	
	4				3	9		1
	3		6			4		
2				1				6
		6			7		9	
3		4	1				8	
	5						6	9
		7	8					

No. 225 Hard

	3	6						
2			3	1		4		
4			8				2	
	4		5	3	9			
			2	4	8		7	
	1				2			9
		8		6	4			3
						1	6	

No. 226 Hard

8	2		7		4			
3		1		9				
9			6					
5		9					8	
	3						2	
	8					6		9
					7			4
				6		2		3
			4		9		7	1

No. 227 Hard

3							7	1
		7		9	4			3
	4					6		
	5	1	9		7			
				3				
			2		8	5	6	
		2					3	
9			4	2		7		
5	7							8

No. 228 Hard

								3
4					9	5	6	2
		8				9		
7	4				2			
		5	9		8	1		
			3				2	9
		1				7		
5	3	4	6					8
2								

No. 229

Hard

	3							
4						5		8
	6		8	3	7			
	8		2			4		
9				1				2
		2			3		5	
			5	2	8		1	
3		1						4
							6	

No. 230

Hard

5			7				2	
7			8	5				
9	4							7
		6	2		3			
	8			9			1	
			6		8	3		
6							4	8
				6	4			1
	3				1			9

No. 231 Hard

5			6			9		
					5			
	2	6			4			8
7	6					2	8	
4								7
	8	2					1	3
3			4			6	7	
			2					
		9			1			5

No. 232 Hard

							7	2
3			9				8	
	2			5	7			
				1	8		6	
	8	4				3	1	
	7		3	4				
			7	6			9	
	6				2			1
2	4							

No. 233 Hard

4	2				1			
		3	7			8		2
				2				3
		1					9	
		7		6		1		
	9					5		
2				3				
5		6			8	3		
			4				8	6

No. 234 Hard

7			3	1				
	3		6		9			
		4		5		8		
						3	7	
4	7						8	2
	2	5						
		2		3		6		
			1		6		2	
				4	5			9

No. 235 Hard

	8					9		
		3	4					
	5				7			4
	9			6		5	1	
		8	3		9	6		
	6	4		1			3	
2			8				9	
					5	7		
		1					8	

No. 236 Hard

			3	9				
	9		6			7		
5		3		1	8			
	7					1		
1	6						8	2
		2					4	
			2	4		5		9
		5			7		6	
				5	3			

No. 237 Hard

	9	1				4		7
		6						5
	7			4			2	
	6			8	1			
9				2				1
			5	7			4	
	8			5			9	
6						2		
3		2				7	1	

No. 238 Hard

4				2			8	3
		8			7		4	
				3			5	
	2				1	6		
			2		9			
		6	5				1	
	8			9				
	5		3			8		
3	9			8				7

No. 239 Hard

		8				3	2	9
	2						5	
	1		3					
6				7		5		
4				6				1
		5		9				8
					6		1	
	7						4	
8	6	3				2		

No. 240 Hard

	1	8	6				3	
			8	9	2	1	6	
								9
						4		
1	3			8			9	2
		2						
3								
	6	7	2	4	9			
	4				3	6	2	

No. 241

Hard

1	7							2
		3	4		5			9
	5				1		6	
		9	5					
	4			8			9	
					9	4		
	6		2				7	
7			1		3	6		
4							1	3

No. 242

Hard

		2			1		4	9
	3					5		7
			9	3				6
		8					5	
1				7				8
	6					1		
6				1	7			
3		5					9	
8	1		3			6		

No. 243 Hard

4		5		3				1
					8			
	1			2		4	8	
8					1			
		7	8	4	5	1		
			2					8
	4	6		5			2	
			6					
5				8		7		9

No. 244 Hard

	9							
7			5		2	1		
						2	4	3
6			8		1		9	2
				5				
4	8		9		3			7
9	4	1						
		3	1		7			4
							5	

No. 245 Hard

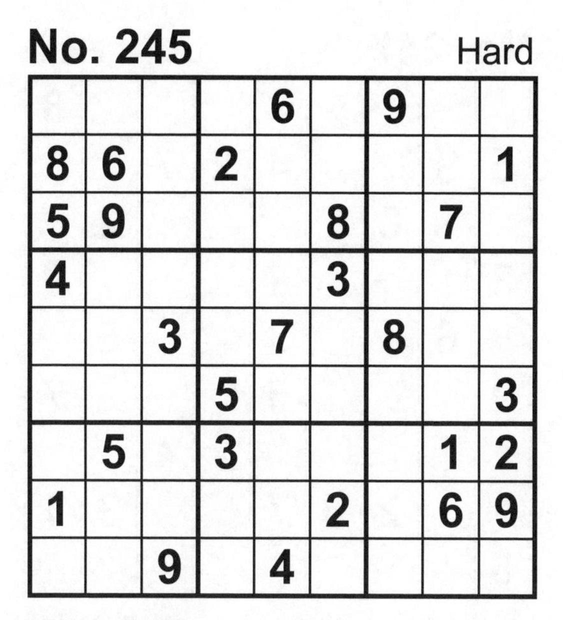

				6		9		
8	6		2					1
5	9				8		7	
4					3			
		3		7		8		
			5					3
	5		3				1	2
1					2		6	9
		9		4				

No. 246 Hard

1	2			7		9		
				3	8	6		
	3							2
				9	2	8		
			8		7			
		3	6	1				
4							6	
		7	1	2				
		5		4			8	9

No. 247

Hard

								8
5	9			4	2	7		
		6					2	
3				1				9
	6			3			5	
9				5				7
	1					4		
		2	6	7			3	1
8								

No. 248

Hard

			8		6		5	7
		5			3	8	2	
	6							
							9	1
	9		1	2	5		8	
4	1							
							1	
	3	6	5			9		
8	5		3		4			

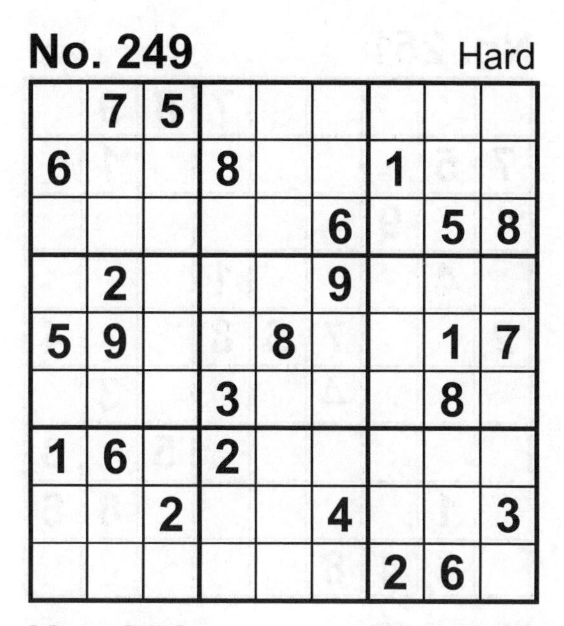

No. 249

Hard

	7	5						
6			8			1		
					6		5	8
	2				9			
5	9			8			1	7
			3				8	
1	6		2					
		2			4			3
						2	6	

No. 250

Hard

					9	1		
5						7		
			7	5	8		3	4
							7	2
	2			3			9	
7	4							
3	9		6	2	5			
		2						6
		7	3					

No. 251 Hard

					7	8	9	
7	5						1	
1		9						
	4				1			
2			7	5	8			4
			4				3	
						5		3
	1						8	6
	6	4	8					

No. 252 Hard

7							4	6
		1			8		2	
		6	9					8
			8		9	7		1
5		7	4		3			
8					5	4		
	2		1			8		
1	6							3

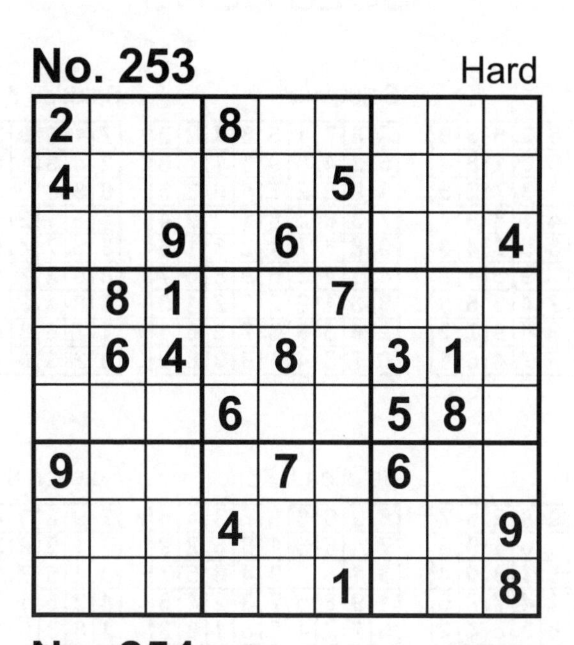

No. 253 Hard

2			8					
4					5			
		9		6				4
	8	1			7			
	6	4		8		3	1	
			6			5	8	
9				7		6		
			4					9
					1			8

No. 254 Hard

2	5				7		9	
	9		5			8		
					6			
			7			5	8	
	2	1				4	3	
	6	8			4			
			1					
		2			3		7	
	1		6				4	9

SUDOKU

SOLUTIONS

Solution 1

7	4	1	5	8	2	6	3	9
5	3	2	7	9	6	1	8	4
8	9	6	4	1	3	7	2	5
3	2	5	6	4	1	8	9	7
9	1	7	8	3	5	2	4	6
4	6	8	2	7	9	5	1	3
6	7	9	1	2	4	3	5	8
1	5	4	3	6	8	9	7	2
2	8	3	9	5	7	4	6	1

Solution 2

3	6	7	1	5	8	4	2	9
5	2	4	6	9	3	1	7	8
1	9	8	2	7	4	6	3	5
7	3	6	5	8	1	2	9	4
9	8	5	7	4	2	3	1	6
4	1	2	3	6	9	8	5	7
8	5	1	9	2	6	7	4	3
2	4	9	8	3	7	5	6	1
6	7	3	4	1	5	9	8	2

Solution 3

7	1	5	9	3	6	4	2	8
2	4	9	1	8	7	3	5	6
6	3	8	5	2	4	9	1	7
4	5	1	2	6	8	7	3	9
3	6	7	4	5	9	1	8	2
8	9	2	7	1	3	5	6	4
5	8	4	3	9	2	6	7	1
1	7	6	8	4	5	2	9	3
9	2	3	6	7	1	8	4	5

Solution 4

3	1	6	4	9	8	2	5	7
4	5	7	2	3	6	1	9	8
9	8	2	7	5	1	3	6	4
8	2	9	6	1	4	7	3	5
5	7	1	9	8	3	6	4	2
6	3	4	5	7	2	9	8	1
1	4	8	3	2	9	5	7	6
7	6	3	1	4	5	8	2	9
2	9	5	8	6	7	4	1	3

Solution 5

8	2	9	6	5	7	3	1	4
7	4	5	3	1	8	6	2	9
3	1	6	2	9	4	8	5	7
1	9	8	5	7	3	2	4	6
5	7	2	4	8	6	1	9	3
4	6	3	1	2	9	7	8	5
2	3	1	9	6	5	4	7	8
6	5	7	8	4	2	9	3	1
9	8	4	7	3	1	5	6	2

Solution 6

7	9	8	3	6	5	1	2	4
6	1	2	9	8	4	3	7	5
3	4	5	7	2	1	9	8	6
4	2	6	1	7	9	5	3	8
1	8	3	6	5	2	7	4	9
5	7	9	4	3	8	6	1	2
9	5	4	2	1	7	8	6	3
2	3	7	8	9	6	4	5	1
8	6	1	5	4	3	2	9	7

Solution 7

1	7	2	5	9	3	4	6	8
3	6	9	4	7	8	2	5	1
5	8	4	2	6	1	7	3	9
2	4	8	7	3	9	5	1	6
9	1	5	6	2	4	8	7	3
6	3	7	8	1	5	9	2	4
4	2	6	1	8	7	3	9	5
7	5	3	9	4	6	1	8	2
8	9	1	3	5	2	6	4	7

Solution 8

3	7	8	4	5	9	6	2	1
1	5	2	8	7	6	9	4	3
9	6	4	1	3	2	5	7	8
2	3	6	7	4	5	8	1	9
8	1	7	2	9	3	4	5	6
4	9	5	6	1	8	7	3	2
5	4	3	9	6	1	2	8	7
6	8	1	5	2	7	3	9	4
7	2	9	3	8	4	1	6	5

Solution 9

5	8	7	1	6	2	3	4	9
1	2	4	5	3	9	8	6	7
3	9	6	8	4	7	2	1	5
4	1	5	6	2	8	9	7	3
2	6	8	7	9	3	1	5	4
9	7	3	4	5	1	6	8	2
8	3	1	9	7	5	4	2	6
6	5	2	3	1	4	7	9	8
7	4	9	2	8	6	5	3	1

SOLUTIONS

Solution 10

2	5	9	4	7	6	1	3	8
1	8	4	3	5	2	7	9	6
6	3	7	8	9	1	2	5	4
3	4	1	9	6	7	8	2	5
8	2	6	5	4	3	9	7	1
7	9	5	1	2	8	4	6	3
4	6	3	7	8	9	5	1	2
9	1	8	2	3	5	6	4	7
5	7	2	6	1	4	3	8	9

Solution 11

1	6	2	9	3	4	5	8	7
4	5	8	1	6	7	2	9	3
3	9	7	5	8	2	1	6	4
2	7	9	3	4	6	8	5	1
6	1	4	2	5	8	3	7	9
5	8	3	7	1	9	6	4	2
7	2	1	6	9	5	4	3	8
9	4	5	8	2	3	7	1	6
8	3	6	4	7	1	9	2	5

Solution 12

6	9	4	3	5	8	2	1	7
5	2	8	9	1	7	6	3	4
1	7	3	2	4	6	9	5	8
7	8	9	6	2	3	1	4	5
3	1	2	5	7	4	8	9	6
4	5	6	1	8	9	7	2	3
9	6	1	8	3	5	4	7	2
8	3	7	4	9	2	5	6	1
2	4	5	7	6	1	3	8	9

Solution 13

4	8	1	7	9	2	3	6	5
6	5	9	4	3	1	7	2	8
3	7	2	8	5	6	1	4	9
9	6	4	5	7	3	2	8	1
1	3	5	2	6	8	4	9	7
8	2	7	1	4	9	5	3	6
7	9	6	3	1	4	8	5	2
2	1	3	6	8	5	9	7	4
5	4	8	9	2	7	6	1	3

Solution 14

4	7	5	2	1	9	8	3	6
2	6	8	7	3	5	1	4	9
1	3	9	8	6	4	7	2	5
9	4	2	3	5	1	6	7	8
3	5	6	9	7	8	4	1	2
7	8	1	6	4	2	9	5	3
6	1	4	5	8	3	2	9	7
5	2	7	4	9	6	3	8	1
8	9	3	1	2	7	5	6	4

Solution 15

4	3	8	2	7	5	1	6	9
1	9	7	4	6	3	5	8	2
5	6	2	9	8	1	7	4	3
6	1	4	5	9	2	3	7	8
2	8	5	7	3	6	4	9	1
3	7	9	1	4	8	2	5	6
9	5	1	8	2	4	6	3	7
7	4	6	3	1	9	8	2	5
8	2	3	6	5	7	9	1	4

Solution 16

9	7	8	5	4	2	6	3	1
6	1	4	7	3	9	8	2	5
2	3	5	6	1	8	9	7	4
7	9	3	8	2	5	4	1	6
8	6	1	4	7	3	5	9	2
4	5	2	1	9	6	3	8	7
3	4	9	2	6	7	1	5	8
5	2	6	9	8	1	7	4	3
1	8	7	3	5	4	2	6	9

Solution 17

1	2	7	5	8	4	3	9	6
9	5	6	1	7	3	8	4	2
8	3	4	2	9	6	1	5	7
7	1	5	9	3	2	6	8	4
2	6	3	8	4	5	7	1	9
4	9	8	6	1	7	2	3	5
3	4	9	7	2	8	5	6	1
6	7	1	3	5	9	4	2	8
5	8	2	4	6	1	9	7	3

Solution 18

2	8	1	5	4	3	7	9	6
5	6	3	8	7	9	4	2	1
9	7	4	1	6	2	8	5	3
7	3	5	2	8	4	6	1	9
6	1	8	9	3	7	2	4	5
4	2	9	6	1	5	3	7	8
8	9	2	7	5	6	1	3	4
1	4	7	3	9	8	5	6	2
3	5	6	4	2	1	9	8	7

SOLUTIONS

Solution 19

4	8	2	6	9	7	1	3	5
9	5	1	2	8	3	7	6	4
3	7	6	4	1	5	2	8	9
1	6	4	7	3	9	5	2	8
8	9	5	1	2	6	3	4	7
2	3	7	8	5	4	6	9	1
5	4	8	3	7	2	9	1	6
7	1	3	9	6	8	4	5	2
6	2	9	5	4	1	8	7	3

Solution 20

2	5	3	6	1	4	9	8	7
8	1	7	2	9	3	6	5	4
6	9	4	5	7	8	1	3	2
9	4	8	3	6	5	7	2	1
7	2	1	4	8	9	5	6	3
3	6	5	7	2	1	8	4	9
5	8	2	1	4	7	3	9	6
4	7	9	8	3	6	2	1	5
1	3	6	9	5	2	4	7	8

Solution 21

4	7	8	2	9	1	6	3	5
2	6	3	4	5	7	1	8	9
5	9	1	6	8	3	7	4	2
3	8	6	7	1	2	9	5	4
1	5	4	9	3	6	8	2	7
7	2	9	5	4	8	3	6	1
8	3	2	1	7	4	5	9	6
6	1	5	8	2	9	4	7	3
9	4	7	3	6	5	2	1	8

Solution 22

5	1	9	8	7	6	2	3	4
7	6	4	9	2	3	8	5	1
8	2	3	5	1	4	6	9	7
6	7	5	3	4	1	9	2	8
9	3	1	7	8	2	4	6	5
2	4	8	6	5	9	1	7	3
1	5	2	4	9	7	3	8	6
4	8	6	2	3	5	7	1	9
3	9	7	1	6	8	5	4	2

Solution 23

9	4	2	8	1	3	6	5	7
6	3	5	7	4	2	9	8	1
7	8	1	5	9	6	4	2	3
1	9	3	6	5	4	8	7	2
8	2	6	3	7	9	1	4	5
4	5	7	1	2	8	3	6	9
2	6	9	4	3	5	7	1	8
3	7	4	2	8	1	5	9	6
5	1	8	9	6	7	2	3	4

Solution 24

8	1	6	9	2	5	3	7	4
7	5	2	3	8	4	9	6	1
3	9	4	1	6	7	5	8	2
2	6	3	7	9	8	4	1	5
9	4	8	6	5	1	2	3	7
5	7	1	4	3	2	8	9	6
6	3	7	5	4	9	1	2	8
1	2	5	8	7	3	6	4	9
4	8	9	2	1	6	7	5	3

Solution 25

7	2	5	8	9	4	1	6	3
6	4	1	3	7	5	2	9	8
9	3	8	6	2	1	4	5	7
8	6	2	4	5	3	9	7	1
5	7	3	1	6	9	8	4	2
1	9	4	2	8	7	6	3	5
3	1	7	9	4	2	5	8	6
2	8	9	5	3	6	7	1	4
4	5	6	7	1	8	3	2	9

Solution 26

3	8	1	6	5	2	9	4	7
5	2	4	7	8	9	3	1	6
7	6	9	3	4	1	2	8	5
2	7	8	1	3	5	4	6	9
1	5	3	9	6	4	7	2	8
4	9	6	8	2	7	5	3	1
8	1	5	4	7	3	6	9	2
6	3	2	5	9	8	1	7	4
9	4	7	2	1	6	8	5	3

Solution 27

2	3	8	7	9	4	5	6	1
5	9	1	6	2	8	3	7	4
7	6	4	3	1	5	8	2	9
8	4	3	1	6	7	2	9	5
9	1	5	8	4	2	6	3	7
6	7	2	5	3	9	4	1	8
4	5	6	9	7	3	1	8	2
1	8	9	2	5	6	7	4	3
3	2	7	4	8	1	9	5	6

SOLUTIONS

Solution 28

3	4	5	7	9	1	8	2	6
9	6	1	8	4	2	5	7	3
7	8	2	3	6	5	1	4	9
4	2	3	5	8	7	6	9	1
5	1	9	6	3	4	2	8	7
6	7	8	2	1	9	3	5	4
2	9	7	1	5	6	4	3	8
1	3	4	9	2	8	7	6	5
8	5	6	4	7	3	9	1	2

Solution 29

2	5	4	9	7	6	3	1	8
3	1	6	5	4	8	7	2	9
9	8	7	3	1	2	4	5	6
7	3	2	6	5	1	8	9	4
4	6	1	8	9	7	5	3	2
5	9	8	2	3	4	1	6	7
8	7	9	1	6	5	2	4	3
1	4	3	7	2	9	6	8	5
6	2	5	4	8	3	9	7	1

Solution 30

3	5	7	6	4	2	9	8	1
9	2	4	1	3	8	6	7	5
6	1	8	9	5	7	2	4	3
5	4	6	7	8	1	3	9	2
8	7	1	3	2	9	5	6	4
2	9	3	5	6	4	7	1	8
7	8	5	4	9	3	1	2	6
1	6	2	8	7	5	4	3	9
4	3	9	2	1	6	8	5	7

Solution 31

3	7	2	4	5	8	1	9	6
6	8	9	1	7	2	4	5	3
1	4	5	6	3	9	2	8	7
5	6	3	8	1	7	9	4	2
8	9	1	2	4	6	3	7	5
4	2	7	5	9	3	6	1	8
9	3	4	7	2	5	8	6	1
7	1	8	3	6	4	5	2	9
2	5	6	9	8	1	7	3	4

Solution 32

5	2	3	8	4	7	9	1	6
4	8	9	1	6	2	7	5	3
6	1	7	3	5	9	2	4	8
3	5	8	6	2	4	1	9	7
2	4	6	7	9	1	3	8	5
9	7	1	5	8	3	6	2	4
7	3	2	4	1	5	8	6	9
1	6	4	9	7	8	5	3	2
8	9	5	2	3	6	4	7	1

Solution 33

4	5	3	8	2	9	6	7	1
7	6	8	1	3	4	9	5	2
9	2	1	5	7	6	4	3	8
3	1	4	7	9	5	2	8	6
8	7	2	6	4	1	5	9	3
5	9	6	3	8	2	1	4	7
6	3	9	4	1	7	8	2	5
2	8	5	9	6	3	7	1	4
1	4	7	2	5	8	3	6	9

Solution 34

1	7	9	6	2	4	3	5	8
5	4	6	9	3	8	7	2	1
8	3	2	7	5	1	9	6	4
3	8	5	1	4	7	2	9	6
9	6	4	3	8	2	1	7	5
7	2	1	5	6	9	4	8	3
6	9	3	2	1	5	8	4	7
2	1	8	4	7	6	5	3	9
4	5	7	8	9	3	6	1	2

Solution 35

6	9	2	7	8	5	4	3	1
8	5	4	3	2	1	7	6	9
7	1	3	4	6	9	5	2	8
1	4	6	8	3	2	9	7	5
5	7	8	6	9	4	3	1	2
2	3	9	5	1	7	6	8	4
4	8	7	1	5	6	2	9	3
9	6	1	2	4	3	8	5	7
3	2	5	9	7	8	1	4	6

Solution 36

4	2	5	6	3	8	7	9	1
1	7	8	9	5	2	3	4	6
3	9	6	7	4	1	2	5	8
5	6	1	3	2	7	9	8	4
7	4	9	8	6	5	1	3	2
8	3	2	1	9	4	5	6	7
2	8	4	5	1	3	6	7	9
9	5	7	2	8	6	4	1	3
6	1	3	4	7	9	8	2	5

SUDOKU

SOLUTIONS

Solution 37

8	9	4	7	1	3	6	2	5
7	3	6	2	5	9	4	8	1
5	2	1	6	8	4	3	9	7
3	1	2	5	6	8	9	7	4
4	7	5	3	9	2	1	6	8
9	6	8	1	4	7	5	3	2
1	8	3	4	2	6	7	5	9
6	5	9	8	7	1	2	4	3
2	4	7	9	3	5	8	1	6

Solution 38

6	8	5	1	2	9	3	7	4
9	2	3	6	7	4	5	8	1
4	1	7	3	8	5	6	9	2
3	5	1	2	6	8	9	4	7
2	6	8	4	9	7	1	5	3
7	9	4	5	3	1	2	6	8
8	3	9	7	5	2	4	1	6
5	4	6	8	1	3	7	2	9
1	7	2	9	4	6	8	3	5

Solution 39

1	4	5	8	6	2	7	3	9
2	3	8	5	7	9	4	6	1
9	7	6	4	3	1	8	5	2
3	9	1	2	8	5	6	4	7
8	5	4	7	1	6	9	2	3
6	2	7	9	4	3	1	8	5
5	6	2	1	9	4	3	7	8
4	8	9	3	2	7	5	1	6
7	1	3	6	5	8	2	9	4

Solution 40

9	5	1	8	4	3	2	6	7
2	3	4	7	1	6	5	8	9
8	6	7	9	2	5	3	4	1
4	7	9	6	3	2	8	1	5
3	2	6	1	5	8	7	9	4
1	8	5	4	9	7	6	3	2
7	4	8	5	6	1	9	2	3
6	1	3	2	7	9	4	5	8
5	9	2	3	8	4	1	7	6

Solution 41

2	7	3	8	4	9	6	1	5
8	6	9	5	7	1	3	2	4
1	4	5	3	2	6	9	8	7
3	5	2	6	8	4	7	9	1
9	1	6	7	5	2	8	4	3
4	8	7	1	9	3	2	5	6
5	2	1	9	6	7	4	3	8
6	3	4	2	1	8	5	7	9
7	9	8	4	3	5	1	6	2

Solution 42

1	6	3	8	9	2	4	5	7
4	7	8	5	3	6	9	1	2
5	9	2	4	7	1	8	6	3
8	4	9	2	5	7	1	3	6
3	1	5	9	6	8	7	2	4
7	2	6	1	4	3	5	9	8
6	5	4	3	8	9	2	7	1
2	8	7	6	1	5	3	4	9
9	3	1	7	2	4	6	8	5

Solution 43

7	2	5	3	9	4	1	8	6
6	3	4	1	2	8	9	5	7
1	8	9	5	7	6	3	2	4
5	9	2	6	4	1	8	7	3
4	1	3	7	8	9	2	6	5
8	6	7	2	5	3	4	9	1
3	7	6	9	1	2	5	4	8
9	4	1	8	6	5	7	3	2
2	5	8	4	3	7	6	1	9

Solution 44

9	8	4	1	6	2	7	5	3
3	5	2	9	7	8	6	1	4
7	6	1	4	3	5	9	8	2
4	9	8	7	1	6	2	3	5
2	1	5	3	8	9	4	7	6
6	3	7	2	5	4	8	9	1
1	4	6	5	9	7	3	2	8
8	7	3	6	2	1	5	4	9
5	2	9	8	4	3	1	6	7

Solution 45

9	1	4	7	3	2	8	6	5
2	8	6	5	1	9	7	3	4
3	7	5	4	6	8	1	2	9
6	5	1	9	2	7	3	4	8
8	3	7	6	5	4	9	1	2
4	2	9	3	8	1	5	7	6
1	6	8	2	7	5	4	9	3
5	4	3	1	9	6	2	8	7
7	9	2	8	4	3	6	5	1

SOLUTIONS

Solution 46

5	6	9	3	2	7	4	8	1
8	4	1	5	6	9	7	2	3
2	3	7	1	4	8	6	9	5
9	1	3	7	8	2	5	4	6
6	7	5	4	9	3	2	1	8
4	2	8	6	5	1	9	3	7
3	5	4	9	1	6	8	7	2
7	8	6	2	3	4	1	5	9
1	9	2	8	7	5	3	6	4

Solution 47

8	4	1	9	3	5	7	2	6
5	3	9	7	2	6	8	4	1
2	7	6	8	4	1	5	3	9
9	5	4	3	1	8	6	7	2
7	8	2	6	9	4	1	5	3
1	6	3	2	5	7	9	8	4
6	1	5	4	8	2	3	9	7
4	9	8	1	7	3	2	6	5
3	2	7	5	6	9	4	1	8

Solution 48

2	1	8	3	5	6	4	7	9
7	9	4	2	1	8	3	5	6
5	3	6	9	4	7	2	1	8
9	2	5	7	8	3	6	4	1
4	8	3	6	2	1	5	9	7
1	6	7	4	9	5	8	2	3
3	7	1	5	6	4	9	8	2
6	5	9	8	7	2	1	3	4
8	4	2	1	3	9	7	6	5

Solution 49

8	3	9	1	2	5	7	6	4
1	6	4	7	9	3	5	8	2
2	7	5	4	8	6	1	9	3
7	5	8	3	6	4	9	2	1
6	9	1	5	7	2	4	3	8
4	2	3	9	1	8	6	7	5
9	8	2	6	4	1	3	5	7
5	4	6	8	3	7	2	1	9
3	1	7	2	5	9	8	4	6

Solution 50

2	6	3	8	1	4	9	5	7
8	9	7	5	3	6	1	2	4
1	5	4	9	2	7	8	3	6
5	1	9	7	8	3	6	4	2
6	3	2	4	5	1	7	9	8
4	7	8	2	6	9	3	1	5
9	8	1	6	4	2	5	7	3
7	4	5	3	9	8	2	6	1
3	2	6	1	7	5	4	8	9

Solution 51

6	4	8	2	7	3	5	9	1
9	7	5	4	1	8	3	6	2
2	3	1	5	9	6	8	7	4
5	2	9	3	8	1	6	4	7
7	8	4	6	2	9	1	3	5
3	1	6	7	4	5	9	2	8
4	9	3	8	5	7	2	1	6
8	6	2	1	3	4	7	5	9
1	5	7	9	6	2	4	8	3

Solution 52

7	8	5	1	9	4	2	6	3
1	9	2	3	8	6	5	4	7
4	3	6	5	7	2	9	1	8
9	6	1	4	5	7	3	8	2
8	5	4	2	3	9	1	7	6
2	7	3	8	6	1	4	9	5
5	1	9	7	2	8	6	3	4
6	2	8	9	4	3	7	5	1
3	4	7	6	1	5	8	2	9

Solution 53

6	4	8	3	5	7	2	9	1
3	2	9	1	4	8	6	7	5
7	5	1	9	6	2	3	8	4
8	9	2	7	1	4	5	6	3
1	3	6	8	2	5	9	4	7
4	7	5	6	3	9	8	1	2
5	6	7	2	9	1	4	3	8
2	1	3	4	8	6	7	5	9
9	8	4	5	7	3	1	2	6

Solution 54

8	4	7	1	9	5	6	2	3
6	5	1	3	2	4	9	8	7
2	9	3	7	8	6	1	4	5
9	1	2	5	3	8	7	6	4
5	3	8	4	6	7	2	1	9
4	7	6	9	1	2	5	3	8
1	2	4	8	5	9	3	7	6
7	6	9	2	4	3	8	5	1
3	8	5	6	7	1	4	9	2

SOLUTIONS

Solution 55

5	4	8	6	9	2	1	3	7
3	1	9	8	7	5	4	2	6
7	6	2	1	4	3	9	8	5
9	3	7	4	5	1	2	6	8
8	5	4	3	2	6	7	1	9
6	2	1	9	8	7	3	5	4
4	7	5	2	3	8	6	9	1
1	9	3	5	6	4	8	7	2
2	8	6	7	1	9	5	4	3

Solution 56

9	8	2	4	5	6	7	3	1
3	7	5	9	8	1	6	4	2
6	1	4	2	3	7	5	9	8
5	4	3	1	6	2	9	8	7
8	2	9	3	7	5	1	6	4
7	6	1	8	9	4	3	2	5
2	5	7	6	4	9	8	1	3
1	9	8	7	2	3	4	5	6
4	3	6	5	1	8	2	7	9

Solution 57

8	4	9	6	5	7	2	1	3
2	1	6	3	9	8	4	7	5
7	3	5	4	2	1	6	9	8
4	5	1	7	3	9	8	6	2
6	2	7	8	4	5	1	3	9
3	9	8	1	6	2	5	4	7
5	6	2	9	1	3	7	8	4
9	8	4	2	7	6	3	5	1
1	7	3	5	8	4	9	2	6

Solution 58

1	2	3	7	8	6	4	9	5
5	6	9	2	4	1	3	7	8
4	8	7	9	5	3	1	2	6
2	3	8	4	9	7	5	6	1
6	5	1	3	2	8	7	4	9
9	7	4	1	6	5	8	3	2
7	4	2	8	1	9	6	5	3
3	1	6	5	7	2	9	8	4
8	9	5	6	3	4	2	1	7

Solution 59

8	3	7	1	6	2	9	5	4
2	4	1	9	7	5	3	6	8
5	6	9	4	8	3	1	2	7
4	1	8	6	5	9	7	3	2
3	5	2	7	1	4	8	9	6
9	7	6	2	3	8	5	4	1
6	8	3	5	4	7	2	1	9
7	9	4	3	2	1	6	8	5
1	2	5	8	9	6	4	7	3

Solution 60

6	4	5	3	8	1	2	9	7
3	1	9	6	7	2	4	8	5
7	2	8	5	9	4	3	6	1
2	8	6	4	5	7	9	1	3
1	9	7	2	3	6	8	5	4
5	3	4	8	1	9	7	2	6
8	6	1	7	2	3	5	4	9
9	5	3	1	4	8	6	7	2
4	7	2	9	6	5	1	3	8

Solution 61

1	8	5	3	9	6	4	2	7
4	7	3	1	5	2	6	8	9
9	6	2	4	8	7	5	3	1
2	3	1	5	4	9	8	7	6
8	9	4	7	6	1	3	5	2
6	5	7	8	2	3	1	9	4
3	1	6	9	7	5	2	4	8
5	4	9	2	1	8	7	6	3
7	2	8	6	3	4	9	1	5

Solution 62

8	2	7	9	5	3	4	1	6
9	5	6	8	4	1	2	3	7
1	3	4	6	2	7	9	5	8
6	8	9	1	7	4	3	2	5
4	7	3	5	9	2	8	6	1
5	1	2	3	8	6	7	9	4
3	4	5	7	1	9	6	8	2
2	6	8	4	3	5	1	7	9
7	9	1	2	6	8	5	4	3

Solution 63

4	1	5	3	2	9	8	6	7
6	9	3	8	7	4	1	5	2
8	2	7	5	1	6	4	3	9
2	5	1	6	4	7	3	9	8
7	3	8	1	9	5	6	2	4
9	4	6	2	8	3	7	1	5
1	8	9	4	6	2	5	7	3
3	6	2	7	5	8	9	4	1
5	7	4	9	3	1	2	8	6

SOLUTIONS

Solution 64

1	6	8	9	4	3	2	7	5
2	4	5	6	8	7	9	3	1
3	7	9	5	1	2	6	8	4
4	8	1	3	5	6	7	2	9
7	3	2	4	9	1	5	6	8
9	5	6	2	7	8	1	4	3
8	9	7	1	6	4	3	5	2
6	1	3	8	2	5	4	9	7
5	2	4	7	3	9	8	1	6

Solution 65

8	9	5	6	3	4	1	7	2
7	6	3	2	5	1	4	9	8
2	4	1	9	7	8	6	3	5
3	5	4	8	2	7	9	1	6
9	8	2	4	1	6	7	5	3
6	1	7	5	9	3	2	8	4
5	7	8	1	4	2	3	6	9
4	3	6	7	8	9	5	2	1
1	2	9	3	6	5	8	4	7

Solution 66

3	9	2	7	1	6	4	8	5
8	7	5	2	9	4	3	6	1
1	4	6	5	8	3	7	9	2
7	2	9	6	3	1	8	5	4
5	8	1	4	7	2	6	3	9
6	3	4	9	5	8	1	2	7
9	1	7	3	6	5	2	4	8
4	6	8	1	2	9	5	7	3
2	5	3	8	4	7	9	1	6

Solution 67

1	6	2	5	3	8	4	7	9
9	8	3	6	7	4	5	2	1
4	5	7	2	1	9	3	6	8
3	9	8	1	6	7	2	5	4
2	1	4	8	5	3	6	9	7
5	7	6	4	9	2	1	8	3
7	2	1	3	8	6	9	4	5
8	4	5	9	2	1	7	3	6
6	3	9	7	4	5	8	1	2

Solution 68

8	6	3	4	1	2	7	9	5
2	5	9	8	7	3	1	4	6
1	4	7	6	9	5	2	3	8
5	7	4	9	3	8	6	1	2
6	1	8	7	2	4	9	5	3
9	3	2	1	5	6	8	7	4
7	8	6	5	4	9	3	2	1
4	2	1	3	8	7	5	6	9
3	9	5	2	6	1	4	8	7

Solution 69

2	7	3	5	9	6	1	8	4
6	4	8	3	1	7	9	5	2
5	9	1	8	4	2	3	6	7
8	6	9	2	3	1	7	4	5
7	1	2	4	6	5	8	9	3
4	3	5	9	7	8	6	2	1
9	2	6	7	5	3	4	1	8
3	8	4	1	2	9	5	7	6
1	5	7	6	8	4	2	3	9

Solution 70

2	9	8	5	1	4	6	7	3
7	3	5	8	9	6	1	4	2
1	4	6	3	7	2	8	9	5
6	2	9	4	5	7	3	8	1
8	1	4	6	2	3	7	5	9
5	7	3	1	8	9	2	6	4
4	8	2	9	6	1	5	3	7
9	6	1	7	3	5	4	2	8
3	5	7	2	4	8	9	1	6

Solution 71

7	6	3	8	2	4	5	9	1
1	5	4	9	6	3	8	2	7
9	8	2	1	7	5	4	6	3
6	3	1	4	8	9	2	7	5
8	4	7	3	5	2	9	1	6
5	2	9	7	1	6	3	8	4
4	1	5	6	9	8	7	3	2
2	7	8	5	3	1	6	4	9
3	9	6	2	4	7	1	5	8

Solution 72

6	1	4	8	3	7	2	5	9
3	5	2	9	6	4	1	7	8
9	7	8	5	2	1	6	3	4
7	9	3	1	5	8	4	2	6
2	8	6	7	4	3	9	1	5
5	4	1	2	9	6	3	8	7
4	2	7	3	8	9	5	6	1
1	3	9	6	7	5	8	4	2
8	6	5	4	1	2	7	9	3

SUDOKU

SOLUTIONS

Solution 73

8	4	7	3	9	6	1	5	2
6	2	9	8	1	5	3	4	7
1	3	5	7	2	4	6	9	8
3	1	8	5	7	9	4	2	6
2	7	6	4	8	1	5	3	9
5	9	4	6	3	2	7	8	1
7	8	1	2	5	3	9	6	4
4	5	2	9	6	7	8	1	3
9	6	3	1	4	8	2	7	5

Solution 74

4	6	5	3	1	2	7	9	8
2	8	9	7	5	4	6	3	1
3	1	7	9	6	8	4	5	2
7	9	6	4	2	5	1	8	3
1	5	3	8	7	6	9	2	4
8	4	2	1	9	3	5	7	6
6	2	4	5	8	9	3	1	7
5	3	1	2	4	7	8	6	9
9	7	8	6	3	1	2	4	5

Solution 75

5	2	7	6	9	8	3	1	4
6	9	3	4	1	5	7	2	8
8	1	4	7	2	3	9	5	6
9	6	2	8	4	7	1	3	5
7	5	1	3	6	2	4	8	9
4	3	8	9	5	1	2	6	7
3	8	5	2	7	4	6	9	1
2	4	6	1	8	9	5	7	3
1	7	9	5	3	6	8	4	2

Solution 76

4	5	2	7	6	3	9	8	1
8	9	6	4	2	1	5	3	7
1	3	7	8	9	5	6	4	2
3	7	5	9	8	6	1	2	4
6	2	8	1	4	7	3	9	5
9	1	4	3	5	2	8	7	6
7	6	9	2	1	8	4	5	3
2	4	1	5	3	9	7	6	8
5	8	3	6	7	4	2	1	9

Solution 77

1	9	8	4	5	2	6	3	7
4	2	7	6	3	1	9	5	8
5	6	3	8	9	7	2	4	1
9	5	1	3	2	6	8	7	4
6	8	4	5	7	9	1	2	3
3	7	2	1	8	4	5	6	9
2	3	6	7	1	8	4	9	5
8	4	5	9	6	3	7	1	2
7	1	9	2	4	5	3	8	6

Solution 78

9	8	2	6	7	3	5	4	1
1	5	3	2	9	4	8	7	6
7	4	6	8	5	1	2	9	3
6	7	8	1	3	9	4	2	5
2	9	5	4	6	7	3	1	8
4	3	1	5	8	2	9	6	7
3	6	4	7	2	5	1	8	9
8	1	9	3	4	6	7	5	2
5	2	7	9	1	8	6	3	4

Solution 79

9	3	1	6	2	4	7	8	5
6	5	7	9	8	1	2	3	4
2	8	4	5	7	3	9	1	6
3	4	9	8	1	2	6	5	7
8	1	6	7	9	5	3	4	2
7	2	5	3	4	6	1	9	8
4	9	2	1	5	7	8	6	3
5	6	8	2	3	9	4	7	1
1	7	3	4	6	8	5	2	9

Solution 80

9	8	5	4	3	7	1	6	2
2	6	3	5	1	9	7	4	8
4	7	1	6	8	2	5	3	9
5	4	8	2	6	3	9	7	1
6	2	9	1	7	8	4	5	3
3	1	7	9	5	4	8	2	6
7	9	4	8	2	6	3	1	5
8	5	6	3	4	1	2	9	7
1	3	2	7	9	5	6	8	4

Solution 81

1	6	2	7	4	5	9	3	8
7	5	9	3	1	8	4	2	6
8	4	3	6	9	2	5	7	1
6	1	8	5	2	7	3	4	9
3	2	7	4	6	9	8	1	5
4	9	5	8	3	1	7	6	2
5	8	1	2	7	3	6	9	4
2	7	6	9	5	4	1	8	3
9	3	4	1	8	6	2	5	7

SOLUTIONS

Solution 82

3	2	1	8	6	5	9	7	4
7	6	8	9	3	4	2	1	5
5	9	4	7	2	1	6	3	8
4	5	7	6	9	8	3	2	1
2	8	6	1	5	3	4	9	7
1	3	9	2	4	7	8	5	6
6	4	5	3	1	2	7	8	9
8	1	3	4	7	9	5	6	2
9	7	2	5	8	6	1	4	3

Solution 83

5	1	8	7	9	2	6	3	4
6	3	2	8	4	1	7	9	5
7	4	9	5	3	6	1	8	2
8	5	6	9	1	7	2	4	3
2	7	4	3	6	5	9	1	8
3	9	1	4	2	8	5	6	7
4	6	3	2	7	9	8	5	1
1	8	7	6	5	3	4	2	9
9	2	5	1	8	4	3	7	6

Solution 84

4	8	1	9	5	6	7	2	3
5	3	6	2	7	4	8	9	1
2	7	9	8	3	1	6	5	4
8	2	4	5	9	7	3	1	6
3	1	7	4	6	2	5	8	9
9	6	5	3	1	8	4	7	2
6	5	3	1	8	9	2	4	7
7	9	2	6	4	5	1	3	8
1	4	8	7	2	3	9	6	5

Solution 85

2	8	1	5	9	4	3	7	6
7	4	6	1	3	2	5	8	9
9	3	5	8	6	7	2	1	4
3	9	4	7	2	6	1	5	8
5	6	7	9	8	1	4	2	3
8	1	2	3	4	5	6	9	7
4	2	9	6	1	8	7	3	5
6	7	3	2	5	9	8	4	1
1	5	8	4	7	3	9	6	2

Solution 86

8	6	2	5	4	1	3	7	9
3	1	7	6	9	8	2	4	5
4	5	9	2	7	3	8	1	6
5	4	8	7	1	2	6	9	3
7	2	1	9	3	6	4	5	8
9	3	6	8	5	4	1	2	7
1	7	4	3	6	9	5	8	2
6	8	5	1	2	7	9	3	4
2	9	3	4	8	5	7	6	1

Solution 87

3	6	5	1	9	2	4	8	7
9	8	4	6	7	3	2	5	1
2	1	7	4	8	5	9	6	3
5	7	6	3	2	8	1	9	4
4	3	8	9	5	1	6	7	2
1	2	9	7	4	6	5	3	8
8	9	3	2	6	4	7	1	5
6	4	1	5	3	7	8	2	9
7	5	2	8	1	9	3	4	6

Solution 88

1	4	5	3	6	8	9	7	2
3	8	6	7	2	9	4	5	1
7	2	9	5	4	1	8	3	6
8	5	3	4	1	2	6	9	7
6	1	4	9	7	5	2	8	3
2	9	7	6	8	3	1	4	5
4	7	2	8	5	6	3	1	9
5	3	1	2	9	4	7	6	8
9	6	8	1	3	7	5	2	4

Solution 89

2	4	9	3	8	6	5	1	7
3	1	8	5	7	4	2	6	9
5	7	6	2	9	1	3	4	8
1	3	4	9	2	8	7	5	6
6	2	5	7	4	3	8	9	1
9	8	7	1	6	5	4	2	3
7	6	3	4	1	2	9	8	5
8	5	2	6	3	9	1	7	4
4	9	1	8	5	7	6	3	2

Solution 90

4	6	5	2	9	1	8	7	3
2	1	7	6	8	3	9	4	5
9	8	3	5	4	7	1	6	2
7	5	4	3	1	6	2	9	8
6	9	2	4	5	8	7	3	1
8	3	1	7	2	9	6	5	4
1	4	6	9	3	2	5	8	7
3	7	8	1	6	5	4	2	9
5	2	9	8	7	4	3	1	6

SUDOKU

SOLUTIONS

Solution 91

2	3	6	7	8	1	9	5	4
8	4	1	2	9	5	3	7	6
7	9	5	6	3	4	2	8	1
1	7	9	4	2	8	6	3	5
6	8	3	1	5	9	4	2	7
5	2	4	3	7	6	1	9	8
3	6	2	5	1	7	8	4	9
4	5	8	9	6	2	7	1	3
9	1	7	8	4	3	5	6	2

Solution 92

1	9	5	7	4	8	2	3	6
7	3	8	6	9	2	1	4	5
4	2	6	1	5	3	7	9	8
8	6	7	2	3	9	4	5	1
2	4	9	5	8	1	6	7	3
3	5	1	4	6	7	8	2	9
9	8	2	3	1	4	5	6	7
6	7	3	8	2	5	9	1	4
5	1	4	9	7	6	3	8	2

Solution 93

2	4	6	9	3	8	5	1	7
8	5	3	7	6	1	4	9	2
7	9	1	4	5	2	8	3	6
4	3	8	2	7	9	6	5	1
1	7	9	6	8	5	3	2	4
5	6	2	1	4	3	7	8	9
6	2	5	3	1	4	9	7	8
9	8	4	5	2	7	1	6	3
3	1	7	8	9	6	2	4	5

Solution 94

9	2	4	5	3	1	7	6	8
8	1	6	9	2	7	5	4	3
5	7	3	6	4	8	9	1	2
6	8	7	3	1	5	2	9	4
4	9	2	8	7	6	3	5	1
1	3	5	2	9	4	6	8	7
2	5	9	4	8	3	1	7	6
7	6	8	1	5	2	4	3	9
3	4	1	7	6	9	8	2	5

Solution 95

6	3	8	1	9	2	5	7	4
1	9	4	5	7	3	6	8	2
7	5	2	8	4	6	9	1	3
4	7	1	6	3	9	8	2	5
5	2	3	4	8	1	7	9	6
9	8	6	2	5	7	3	4	1
8	6	7	3	1	4	2	5	9
3	1	5	9	2	8	4	6	7
2	4	9	7	6	5	1	3	8

Solution 96

3	8	6	4	7	9	1	5	2
5	9	1	3	6	2	7	8	4
4	7	2	5	1	8	9	6	3
6	5	9	8	3	1	2	4	7
7	1	4	2	5	6	3	9	8
2	3	8	7	9	4	5	1	6
1	4	7	9	8	3	6	2	5
8	6	3	1	2	5	4	7	9
9	2	5	6	4	7	8	3	1

Solution 97

7	9	2	8	4	3	5	1	6
8	5	1	6	2	7	4	9	3
3	4	6	1	5	9	2	7	8
1	2	4	3	7	5	8	6	9
6	7	8	9	1	4	3	2	5
9	3	5	2	6	8	1	4	7
4	8	9	7	3	2	6	5	1
2	1	3	5	9	6	7	8	4
5	6	7	4	8	1	9	3	2

Solution 98

6	2	5	7	9	8	3	4	1
8	4	1	6	3	2	9	7	5
7	3	9	1	4	5	2	8	6
1	5	7	4	2	6	8	9	3
9	6	4	8	5	3	7	1	2
3	8	2	9	7	1	5	6	4
5	1	6	3	8	9	4	2	7
4	9	3	2	6	7	1	5	8
2	7	8	5	1	4	6	3	9

Solution 99

3	6	1	4	5	7	2	8	9
2	7	9	1	6	8	4	5	3
8	5	4	9	3	2	7	1	6
7	9	3	2	8	5	6	4	1
1	2	6	7	4	9	5	3	8
4	8	5	3	1	6	9	2	7
5	1	8	6	9	4	3	7	2
6	3	7	5	2	1	8	9	4
9	4	2	8	7	3	1	6	5

SOLUTIONS

Solution 100

5	3	7	1	9	8	6	4	2
4	6	1	3	2	5	7	9	8
8	9	2	4	7	6	1	5	3
3	7	8	9	1	4	2	6	5
2	4	6	5	8	7	3	1	9
1	5	9	6	3	2	8	7	4
6	1	5	2	4	3	9	8	7
9	8	3	7	5	1	4	2	6
7	2	4	8	6	9	5	3	1

Solution 101

3	7	6	9	4	1	5	2	8
9	4	2	5	3	8	1	6	7
8	5	1	6	2	7	3	9	4
2	6	7	1	8	5	4	3	9
4	9	3	7	6	2	8	5	1
5	1	8	4	9	3	6	7	2
7	3	9	8	1	6	2	4	5
6	8	4	2	5	9	7	1	3
1	2	5	3	7	4	9	8	6

Solution 102

6	9	7	1	8	5	2	3	4
4	8	2	9	3	7	1	5	6
5	1	3	2	6	4	8	7	9
2	4	9	3	1	8	5	6	7
3	7	8	5	9	6	4	2	1
1	5	6	7	4	2	3	9	8
7	2	1	4	5	9	6	8	3
8	3	5	6	7	1	9	4	2
9	6	4	8	2	3	7	1	5

Solution 103

5	8	1	2	4	9	3	6	7
7	4	2	5	3	6	1	9	8
6	3	9	8	1	7	2	5	4
1	9	5	3	2	8	7	4	6
8	2	4	7	6	1	5	3	9
3	6	7	9	5	4	8	2	1
2	1	6	4	7	3	9	8	5
4	5	8	1	9	2	6	7	3
9	7	3	6	8	5	4	1	2

Solution 104

2	1	9	5	7	4	6	3	8
3	5	7	9	8	6	2	1	4
4	8	6	2	3	1	7	9	5
9	6	4	7	5	3	1	8	2
5	2	1	8	6	9	4	7	3
8	7	3	4	1	2	5	6	9
7	3	2	1	4	8	9	5	6
6	4	5	3	9	7	8	2	1
1	9	8	6	2	5	3	4	7

Solution 105

8	6	4	1	5	3	9	2	7
1	5	9	7	8	2	3	6	4
3	2	7	9	4	6	5	8	1
5	4	6	3	9	8	1	7	2
2	7	1	4	6	5	8	3	9
9	3	8	2	1	7	4	5	6
6	1	3	8	2	9	7	4	5
7	9	5	6	3	4	2	1	8
4	8	2	5	7	1	6	9	3

Solution 106

5	8	2	1	3	4	6	7	9
9	6	4	8	5	7	3	1	2
3	1	7	2	9	6	8	4	5
7	3	6	5	1	2	9	8	4
2	5	8	4	6	9	7	3	1
4	9	1	3	7	8	2	5	6
6	4	9	7	8	5	1	2	3
1	7	5	6	2	3	4	9	8
8	2	3	9	4	1	5	6	7

Solution 107

5	7	1	2	4	8	3	9	6
6	3	8	9	5	1	2	4	7
4	9	2	6	7	3	5	8	1
3	1	6	8	2	4	7	5	9
7	5	4	1	6	9	8	3	2
2	8	9	7	3	5	1	6	4
1	2	3	5	9	6	4	7	8
9	4	7	3	8	2	6	1	5
8	6	5	4	1	7	9	2	3

Solution 108

6	2	8	1	4	7	9	5	3
9	7	4	5	6	3	2	1	8
1	3	5	9	8	2	4	6	7
4	5	7	8	9	1	6	3	2
8	6	9	2	3	5	7	4	1
3	1	2	6	7	4	8	9	5
5	4	1	7	2	9	3	8	6
7	8	3	4	5	6	1	2	9
2	9	6	3	1	8	5	7	4

SUDOKU

SOLUTIONS

Solution 109

7	5	6	4	3	2	9	1	8
3	2	4	1	8	9	6	7	5
9	8	1	5	6	7	3	2	4
1	4	5	9	7	6	8	3	2
8	9	3	2	5	1	7	4	6
6	7	2	8	4	3	5	9	1
2	6	9	7	1	8	4	5	3
4	1	8	3	9	5	2	6	7
5	3	7	6	2	4	1	8	9

Solution 110

5	8	6	3	2	7	4	1	9
7	3	2	4	1	9	6	5	8
9	1	4	6	8	5	2	7	3
8	9	7	5	6	3	1	2	4
2	5	1	8	7	4	3	9	6
6	4	3	1	9	2	7	8	5
1	7	5	9	4	6	8	3	2
3	6	8	2	5	1	9	4	7
4	2	9	7	3	8	5	6	1

Solution 111

3	8	5	7	4	1	6	2	9
4	2	6	5	3	9	8	1	7
7	1	9	8	6	2	3	4	5
1	5	8	6	7	4	2	9	3
9	6	7	2	5	3	4	8	1
2	3	4	1	9	8	5	7	6
8	7	3	9	2	5	1	6	4
6	4	1	3	8	7	9	5	2
5	9	2	4	1	6	7	3	8

Solution 112

4	8	7	2	1	6	3	9	5
1	9	6	3	7	5	4	2	8
3	5	2	9	4	8	7	6	1
2	4	3	6	8	1	5	7	9
5	6	9	7	2	3	1	8	4
8	7	1	4	5	9	2	3	6
6	1	4	8	3	2	9	5	7
7	3	8	5	9	4	6	1	2
9	2	5	1	6	7	8	4	3

Solution 113

1	3	4	7	5	9	2	6	8
2	5	6	8	4	1	9	7	3
9	7	8	6	3	2	1	4	5
3	4	2	1	8	6	5	9	7
7	8	1	4	9	5	3	2	6
5	6	9	3	2	7	8	1	4
8	2	7	5	1	4	6	3	9
6	9	3	2	7	8	4	5	1
4	1	5	9	6	3	7	8	2

Solution 114

8	1	4	7	3	6	9	5	2
9	5	2	1	8	4	6	7	3
7	3	6	2	5	9	4	8	1
4	8	1	5	9	3	2	6	7
3	7	5	6	4	2	8	1	9
6	2	9	8	7	1	3	4	5
1	9	3	4	6	5	7	2	8
5	6	7	3	2	8	1	9	4
2	4	8	9	1	7	5	3	6

Solution 115

1	9	2	7	6	8	5	3	4
6	4	8	1	3	5	2	9	7
5	3	7	9	4	2	8	1	6
9	2	6	3	7	1	4	5	8
8	5	3	4	2	6	1	7	9
7	1	4	8	5	9	3	6	2
2	8	9	6	1	3	7	4	5
3	7	5	2	9	4	6	8	1
4	6	1	5	8	7	9	2	3

Solution 116

1	2	4	9	8	5	6	7	3
6	8	3	2	7	4	9	5	1
5	7	9	6	3	1	4	8	2
9	6	7	1	2	3	5	4	8
3	5	1	7	4	8	2	9	6
2	4	8	5	6	9	3	1	7
4	1	2	3	9	7	8	6	5
7	9	6	8	5	2	1	3	4
8	3	5	4	1	6	7	2	9

Solution 117

7	8	9	4	1	2	6	5	3
1	3	6	5	9	7	2	4	8
4	5	2	8	3	6	9	7	1
5	1	3	6	8	4	7	9	2
9	6	4	2	7	1	3	8	5
2	7	8	3	5	9	1	6	4
3	4	1	9	6	8	5	2	7
6	2	5	7	4	3	8	1	9
8	9	7	1	2	5	4	3	6

SOLUTIONS

Solution 118

6	7	3	8	9	1	4	2	5
5	8	1	2	7	4	9	6	3
2	9	4	6	3	5	1	8	7
8	1	5	4	2	3	7	9	6
3	2	9	1	6	7	8	5	4
4	6	7	5	8	9	3	1	2
9	4	2	7	5	8	6	3	1
7	5	8	3	1	6	2	4	9
1	3	6	9	4	2	5	7	8

Solution 119

7	1	5	9	8	4	3	6	2
9	6	4	3	2	1	8	5	7
3	8	2	6	7	5	1	4	9
5	2	9	7	4	3	6	8	1
4	3	8	1	6	9	7	2	5
1	7	6	8	5	2	4	9	3
6	9	1	5	3	8	2	7	4
8	4	3	2	9	7	5	1	6
2	5	7	4	1	6	9	3	8

Solution 120

6	5	1	8	3	4	7	9	2
9	8	2	7	6	1	3	5	4
4	3	7	5	9	2	8	1	6
8	6	9	3	1	7	4	2	5
2	7	5	9	4	8	6	3	1
1	4	3	6	2	5	9	7	8
7	2	6	4	5	3	1	8	9
3	1	4	2	8	9	5	6	7
5	9	8	1	7	6	2	4	3

Solution 121

5	6	3	7	9	8	1	4	2
1	2	8	4	5	6	3	9	7
4	9	7	2	3	1	6	5	8
2	7	4	3	8	5	9	6	1
9	3	1	6	7	4	2	8	5
8	5	6	1	2	9	7	3	4
7	1	5	8	6	3	4	2	9
3	4	9	5	1	2	8	7	6
6	8	2	9	4	7	5	1	3

Solution 122

1	3	7	2	4	5	8	6	9
4	6	2	8	9	7	3	1	5
9	5	8	6	3	1	2	4	7
6	9	3	7	1	2	5	8	4
2	8	4	3	5	6	7	9	1
7	1	5	9	8	4	6	2	3
5	4	6	1	2	3	9	7	8
8	7	1	5	6	9	4	3	2
3	2	9	4	7	8	1	5	6

Solution 123

2	1	3	9	4	6	5	7	8
4	9	5	7	8	3	2	1	6
8	6	7	2	5	1	3	9	4
1	3	2	4	6	7	9	8	5
9	7	6	8	1	5	4	3	2
5	8	4	3	9	2	7	6	1
7	5	8	1	3	4	6	2	9
3	4	9	6	2	8	1	5	7
6	2	1	5	7	9	8	4	3

Solution 124

1	8	4	2	6	3	7	5	9
5	7	2	4	1	9	8	6	3
9	6	3	8	7	5	2	1	4
8	2	5	7	9	4	6	3	1
6	3	1	5	2	8	9	4	7
7	4	9	6	3	1	5	2	8
3	9	7	1	5	2	4	8	6
2	1	8	9	4	6	3	7	5
4	5	6	3	8	7	1	9	2

Solution 125

6	2	8	1	3	5	9	7	4
9	5	4	2	8	7	1	3	6
3	7	1	4	6	9	8	2	5
2	4	7	3	5	8	6	1	9
5	9	3	6	2	1	4	8	7
8	1	6	7	9	4	3	5	2
7	8	2	9	1	6	5	4	3
4	6	5	8	7	3	2	9	1
1	3	9	5	4	2	7	6	8

Solution 126

2	8	5	7	6	1	9	4	3
1	7	6	3	4	9	5	8	2
9	3	4	8	2	5	6	1	7
3	6	1	9	8	7	2	5	4
5	9	7	2	1	4	3	6	8
4	2	8	5	3	6	1	7	9
7	4	9	6	5	3	8	2	1
6	1	2	4	9	8	7	3	5
8	5	3	1	7	2	4	9	6

SUDOKU

SOLUTIONS

Solution 127

3	8	9	2	5	1	6	4	7
4	5	1	7	8	6	9	2	3
6	2	7	3	4	9	5	8	1
5	3	6	9	7	2	4	1	8
8	7	2	1	6	4	3	5	9
9	1	4	8	3	5	2	7	6
7	9	5	4	1	3	8	6	2
2	6	8	5	9	7	1	3	4
1	4	3	6	2	8	7	9	5

Solution 128

6	8	3	7	2	4	5	1	9
5	7	9	8	3	1	6	4	2
4	2	1	5	6	9	3	7	8
1	6	8	3	7	2	9	5	4
2	5	4	1	9	8	7	6	3
9	3	7	4	5	6	8	2	1
3	4	2	6	8	5	1	9	7
8	1	5	9	4	7	2	3	6
7	9	6	2	1	3	4	8	5

Solution 129

4	8	6	5	3	9	1	7	2
9	1	7	2	8	4	3	5	6
3	2	5	7	6	1	4	9	8
5	9	1	3	2	6	8	4	7
6	3	8	4	7	5	2	1	9
7	4	2	9	1	8	6	3	5
8	6	3	1	9	7	5	2	4
2	5	9	6	4	3	7	8	1
1	7	4	8	5	2	9	6	3

Solution 130

1	2	9	6	4	3	7	8	5
7	4	8	5	9	1	3	2	6
5	3	6	8	2	7	9	4	1
8	7	5	2	6	9	1	3	4
6	9	2	3	1	4	5	7	8
4	1	3	7	8	5	6	9	2
3	8	7	1	5	2	4	6	9
2	5	4	9	7	6	8	1	3
9	6	1	4	3	8	2	5	7

Solution 131

6	7	5	3	4	8	9	1	2
4	3	9	2	1	7	5	8	6
2	1	8	5	6	9	7	4	3
9	2	1	7	8	6	3	5	4
5	8	6	1	3	4	2	9	7
3	4	7	9	5	2	1	6	8
8	5	3	6	7	1	4	2	9
1	9	4	8	2	3	6	7	5
7	6	2	4	9	5	8	3	1

Solution 132

3	6	5	7	4	1	2	9	8
8	1	2	3	5	9	4	6	7
4	9	7	2	6	8	3	5	1
2	4	1	5	9	7	8	3	6
9	3	8	1	2	6	7	4	5
5	7	6	4	8	3	1	2	9
6	8	3	9	1	4	5	7	2
1	5	4	6	7	2	9	8	3
7	2	9	8	3	5	6	1	4

Solution 133

7	5	6	4	8	1	2	3	9
1	4	2	3	6	9	5	8	7
8	9	3	5	2	7	1	4	6
9	7	5	6	3	8	4	1	2
2	3	1	7	4	5	6	9	8
6	8	4	1	9	2	3	7	5
4	2	9	8	1	6	7	5	3
5	1	8	2	7	3	9	6	4
3	6	7	9	5	4	8	2	1

Solution 134

5	1	6	9	4	2	3	7	8
2	4	9	7	8	3	5	1	6
8	3	7	5	6	1	4	2	9
4	5	1	6	3	7	8	9	2
6	8	3	2	5	9	7	4	1
7	9	2	8	1	4	6	5	3
1	6	4	3	9	5	2	8	7
3	2	5	1	7	8	9	6	4
9	7	8	4	2	6	1	3	5

Solution 135

2	3	1	5	9	4	8	7	6
8	4	9	1	7	6	3	2	5
7	6	5	2	3	8	9	4	1
3	8	6	9	2	1	7	5	4
4	1	7	3	6	5	2	8	9
9	5	2	8	4	7	1	6	3
1	7	3	4	5	2	6	9	8
5	2	8	6	1	9	4	3	7
6	9	4	7	8	3	5	1	2

SOLUTIONS

Solution 136

7	3	1	8	4	2	6	5	9
8	5	9	6	7	1	4	2	3
2	6	4	3	9	5	8	7	1
3	1	6	4	5	8	2	9	7
5	8	7	2	3	9	1	4	6
9	4	2	1	6	7	5	3	8
4	7	8	5	1	3	9	6	2
1	9	5	7	2	6	3	8	4
6	2	3	9	8	4	7	1	5

Solution 137

3	8	9	7	6	2	5	1	4
5	2	7	1	4	9	8	3	6
6	4	1	8	3	5	9	7	2
8	6	3	9	7	4	1	2	5
1	7	4	2	5	3	6	9	8
9	5	2	6	1	8	3	4	7
2	9	5	3	8	7	4	6	1
7	1	8	4	9	6	2	5	3
4	3	6	5	2	1	7	8	9

Solution 138

4	6	8	1	2	5	7	9	3
7	1	5	3	9	8	4	2	6
2	3	9	7	6	4	1	8	5
5	7	6	2	1	3	9	4	8
1	8	3	6	4	9	2	5	7
9	4	2	5	8	7	6	3	1
8	5	4	9	7	1	3	6	2
6	9	7	8	3	2	5	1	4
3	2	1	4	5	6	8	7	9

Solution 139

9	5	2	7	6	1	8	4	3
6	4	1	3	8	9	5	2	7
8	3	7	2	4	5	1	9	6
1	9	8	5	3	6	4	7	2
5	7	3	9	2	4	6	8	1
4	2	6	1	7	8	9	3	5
3	8	5	4	1	2	7	6	9
7	1	4	6	9	3	2	5	8
2	6	9	8	5	7	3	1	4

Solution 140

5	4	8	6	1	9	2	7	3
3	7	9	5	2	8	6	4	1
6	2	1	3	4	7	9	8	5
8	9	7	1	5	6	4	3	2
4	3	5	9	8	2	1	6	7
1	6	2	7	3	4	8	5	9
9	1	6	4	7	5	3	2	8
2	5	4	8	9	3	7	1	6
7	8	3	2	6	1	5	9	4

Solution 141

8	4	3	7	6	2	9	5	1
5	2	6	1	4	9	8	3	7
7	9	1	8	5	3	6	2	4
9	5	8	2	1	4	7	6	3
3	1	2	6	9	7	5	4	8
4	6	7	3	8	5	2	1	9
2	3	4	5	7	8	1	9	6
6	8	9	4	2	1	3	7	5
1	7	5	9	3	6	4	8	2

Solution 142

7	4	8	1	9	6	3	5	2
5	3	6	8	2	7	9	4	1
9	1	2	3	5	4	6	7	8
1	2	7	6	4	8	5	9	3
3	9	4	7	1	5	8	2	6
8	6	5	2	3	9	4	1	7
2	8	9	5	6	1	7	3	4
4	7	3	9	8	2	1	6	5
6	5	1	4	7	3	2	8	9

Solution 143

5	6	7	4	9	3	2	8	1
9	8	1	5	2	6	3	7	4
3	4	2	1	8	7	6	5	9
8	2	3	9	7	5	4	1	6
1	9	6	2	4	8	7	3	5
7	5	4	6	3	1	8	9	2
4	1	8	7	6	9	5	2	3
6	7	9	3	5	2	1	4	8
2	3	5	8	1	4	9	6	7

Solution 144

5	7	2	4	1	8	9	3	6
4	9	1	7	3	6	2	5	8
6	3	8	2	5	9	1	7	4
8	1	9	6	4	5	7	2	3
7	5	4	3	8	2	6	9	1
2	6	3	1	9	7	8	4	5
1	2	6	5	7	4	3	8	9
3	8	5	9	2	1	4	6	7
9	4	7	8	6	3	5	1	2

SOLUTIONS

Solution 145

9	8	1	3	6	7	4	5	2
6	4	2	9	8	5	1	3	7
7	5	3	1	4	2	8	9	6
3	7	5	8	2	4	6	1	9
4	2	8	6	9	1	5	7	3
1	6	9	5	7	3	2	8	4
5	9	6	4	3	8	7	2	1
2	1	4	7	5	9	3	6	8
8	3	7	2	1	6	9	4	5

Solution 146

5	8	9	4	3	2	6	1	7
1	4	7	6	9	8	2	5	3
6	3	2	5	7	1	9	8	4
7	1	3	9	2	4	5	6	8
9	5	4	7	8	6	3	2	1
2	6	8	3	1	5	7	4	9
3	2	6	8	4	9	1	7	5
4	9	5	1	6	7	8	3	2
8	7	1	2	5	3	4	9	6

Solution 147

5	2	3	9	8	4	1	7	6
7	9	6	1	3	2	8	5	4
1	4	8	5	6	7	9	2	3
4	6	9	8	2	3	5	1	7
2	8	1	6	7	5	4	3	9
3	5	7	4	9	1	2	6	8
9	3	2	7	1	8	6	4	5
8	7	5	2	4	6	3	9	1
6	1	4	3	5	9	7	8	2

Solution 148

2	7	9	1	4	8	3	6	5
8	6	3	2	5	9	4	7	1
4	5	1	7	3	6	2	9	8
3	4	6	8	1	7	9	5	2
7	1	5	9	2	4	6	8	3
9	8	2	3	6	5	7	1	4
5	3	7	4	9	1	8	2	6
6	9	4	5	8	2	1	3	7
1	2	8	6	7	3	5	4	9

Solution 149

7	4	6	8	2	3	5	1	9
3	1	5	7	4	9	6	2	8
2	9	8	6	1	5	7	3	4
4	2	1	9	8	7	3	6	5
6	8	9	5	3	1	4	7	2
5	7	3	2	6	4	8	9	1
1	6	4	3	5	2	9	8	7
9	3	2	4	7	8	1	5	6
8	5	7	1	9	6	2	4	3

Solution 150

2	3	1	9	8	5	4	7	6
4	7	9	3	1	6	2	5	8
6	5	8	4	7	2	3	9	1
8	9	7	2	6	1	5	4	3
5	6	4	8	9	3	7	1	2
1	2	3	7	5	4	8	6	9
9	8	2	1	4	7	6	3	5
3	4	5	6	2	9	1	8	7
7	1	6	5	3	8	9	2	4

Solution 151

3	4	1	5	7	2	6	8	9
7	8	9	1	3	6	2	4	5
2	5	6	9	8	4	1	3	7
9	1	3	7	2	5	8	6	4
4	6	2	8	9	1	5	7	3
5	7	8	6	4	3	9	2	1
6	2	7	4	1	9	3	5	8
8	9	5	3	6	7	4	1	2
1	3	4	2	5	8	7	9	6

Solution 152

2	4	6	8	7	9	3	1	5
3	8	5	2	1	4	9	7	6
9	7	1	6	5	3	4	8	2
7	6	9	1	3	2	8	5	4
8	2	3	7	4	5	1	6	9
1	5	4	9	8	6	7	2	3
4	1	2	5	9	8	6	3	7
5	3	8	4	6	7	2	9	1
6	9	7	3	2	1	5	4	8

Solution 153

9	3	6	5	8	4	7	2	1
2	4	7	9	6	1	5	8	3
1	5	8	3	2	7	9	4	6
6	8	4	7	3	2	1	9	5
5	2	3	4	1	9	6	7	8
7	9	1	6	5	8	4	3	2
4	6	2	8	7	5	3	1	9
3	1	9	2	4	6	8	5	7
8	7	5	1	9	3	2	6	4

SOLUTIONS

Solution 154

8	7	2	4	6	5	3	1	9
6	4	9	3	1	2	8	7	5
1	3	5	7	9	8	6	4	2
2	1	4	6	8	3	9	5	7
9	6	3	5	2	7	1	8	4
5	8	7	1	4	9	2	6	3
7	5	8	2	3	1	4	9	6
4	2	1	9	7	6	5	3	8
3	9	6	8	5	4	7	2	1

Solution 155

9	1	5	7	6	3	4	8	2
8	7	4	2	9	1	3	6	5
6	2	3	4	8	5	7	1	9
4	3	6	1	2	9	5	7	8
2	8	9	3	5	7	6	4	1
1	5	7	6	4	8	2	9	3
5	9	2	8	7	6	1	3	4
7	4	1	9	3	2	8	5	6
3	6	8	5	1	4	9	2	7

Solution 156

9	6	5	4	1	8	2	3	7
7	8	3	9	6	2	5	1	4
2	4	1	7	3	5	9	6	8
6	5	9	8	7	1	4	2	3
8	3	7	2	4	6	1	9	5
4	1	2	5	9	3	7	8	6
5	2	4	6	8	9	3	7	1
1	7	6	3	2	4	8	5	9
3	9	8	1	5	7	6	4	2

Solution 157

7	5	2	3	4	9	1	6	8
8	4	1	7	5	6	3	2	9
3	9	6	2	8	1	7	5	4
6	8	4	9	1	7	5	3	2
5	3	9	4	6	2	8	1	7
2	1	7	5	3	8	4	9	6
4	6	5	8	9	3	2	7	1
1	7	3	6	2	4	9	8	5
9	2	8	1	7	5	6	4	3

Solution 158

4	9	6	2	1	5	7	8	3
1	8	7	3	9	6	4	2	5
3	5	2	8	4	7	9	1	6
6	2	9	4	5	8	1	3	7
7	1	3	9	6	2	8	5	4
5	4	8	1	7	3	6	9	2
2	7	5	6	8	9	3	4	1
8	3	4	7	2	1	5	6	9
9	6	1	5	3	4	2	7	8

Solution 159

5	7	1	3	9	8	4	2	6
6	9	8	1	4	2	3	7	5
3	4	2	5	7	6	8	1	9
2	1	7	6	3	9	5	4	8
4	3	6	8	5	7	1	9	2
8	5	9	2	1	4	6	3	7
7	2	3	4	6	5	9	8	1
1	8	5	9	2	3	7	6	4
9	6	4	7	8	1	2	5	3

Solution 160

8	7	1	6	3	4	5	9	2
5	6	9	8	1	2	7	4	3
2	4	3	9	5	7	8	1	6
1	8	5	4	9	6	2	3	7
4	3	6	2	7	5	9	8	1
9	2	7	1	8	3	6	5	4
7	9	2	5	4	1	3	6	8
3	5	4	7	6	8	1	2	9
6	1	8	3	2	9	4	7	5

Solution 161

1	5	8	7	9	4	2	3	6
2	7	3	1	6	5	4	8	9
4	9	6	3	2	8	7	5	1
3	1	5	6	4	7	8	9	2
6	4	7	2	8	9	3	1	5
8	2	9	5	3	1	6	4	7
9	8	2	4	1	6	5	7	3
7	6	1	8	5	3	9	2	4
5	3	4	9	7	2	1	6	8

Solution 162

1	8	2	3	5	9	7	4	6
3	7	6	4	1	8	9	2	5
4	9	5	2	7	6	1	8	3
2	5	9	8	4	3	6	1	7
6	1	4	9	2	7	5	3	8
8	3	7	1	6	5	4	9	2
7	2	8	5	9	4	3	6	1
9	6	1	7	3	2	8	5	4
5	4	3	6	8	1	2	7	9

SOLUTIONS

Solution 163

1	2	4	5	7	8	6	3	9
3	7	5	9	2	6	1	4	8
6	8	9	3	4	1	5	7	2
9	1	7	8	3	2	4	6	5
4	3	2	6	5	7	8	9	1
8	5	6	4	1	9	3	2	7
2	9	3	1	8	4	7	5	6
7	4	1	2	6	5	9	8	3
5	6	8	7	9	3	2	1	4

Solution 164

3	6	4	9	8	5	2	7	1
5	7	1	6	3	2	9	4	8
9	8	2	1	4	7	3	5	6
1	9	3	2	7	8	5	6	4
4	2	7	5	9	6	8	1	3
8	5	6	3	1	4	7	2	9
7	3	9	4	2	1	6	8	5
6	1	8	7	5	3	4	9	2
2	4	5	8	6	9	1	3	7

Solution 165

9	2	3	7	8	4	6	1	5
4	7	8	1	6	5	3	9	2
6	5	1	9	3	2	8	4	7
2	4	5	8	7	1	9	6	3
8	1	9	6	5	3	7	2	4
3	6	7	2	4	9	1	5	8
5	3	6	4	1	8	2	7	9
7	8	2	5	9	6	4	3	1
1	9	4	3	2	7	5	8	6

Solution 166

6	8	5	7	1	9	4	2	3
7	3	1	8	4	2	6	9	5
4	9	2	3	6	5	1	7	8
5	7	6	2	8	3	9	1	4
1	2	9	5	7	4	3	8	6
8	4	3	6	9	1	2	5	7
2	1	8	4	5	6	7	3	9
3	6	7	9	2	8	5	4	1
9	5	4	1	3	7	8	6	2

Solution 167

4	2	8	5	9	3	6	7	1
1	6	3	7	4	2	8	9	5
5	9	7	6	8	1	2	4	3
9	5	2	1	7	8	3	6	4
7	8	1	4	3	6	9	5	2
6	3	4	9	2	5	1	8	7
3	7	5	2	6	9	4	1	8
8	4	6	3	1	7	5	2	9
2	1	9	8	5	4	7	3	6

Solution 168

3	5	7	4	9	1	6	2	8
9	6	8	5	2	7	4	1	3
2	4	1	8	6	3	7	5	9
4	2	5	6	3	9	8	7	1
1	7	3	2	4	8	5	9	6
6	8	9	7	1	5	2	3	4
5	1	4	3	7	6	9	8	2
7	3	6	9	8	2	1	4	5
8	9	2	1	5	4	3	6	7

Solution 169

8	9	4	2	1	3	6	5	7
5	6	3	7	9	4	2	8	1
1	2	7	5	6	8	9	3	4
3	5	1	9	8	6	7	4	2
9	8	6	4	7	2	3	1	5
7	4	2	3	5	1	8	9	6
4	7	5	8	2	9	1	6	3
2	1	9	6	3	5	4	7	8
6	3	8	1	4	7	5	2	9

Solution 170

1	2	5	9	3	7	6	4	8
8	4	3	2	1	6	5	7	9
6	7	9	4	5	8	1	2	3
4	8	2	5	6	9	7	3	1
3	9	1	8	7	4	2	6	5
5	6	7	3	2	1	8	9	4
7	5	6	1	4	3	9	8	2
2	3	8	7	9	5	4	1	6
9	1	4	6	8	2	3	5	7

Solution 171

1	6	8	9	4	2	7	5	3
9	7	3	8	5	1	6	2	4
4	5	2	3	7	6	9	8	1
8	1	9	6	2	4	5	3	7
5	3	6	1	9	7	2	4	8
2	4	7	5	3	8	1	6	9
6	9	1	4	8	5	3	7	2
7	8	5	2	1	3	4	9	6
3	2	4	7	6	9	8	1	5

SOLUTIONS

Solution 172

5	7	6	2	9	4	1	3	8
1	8	4	5	7	3	9	6	2
9	3	2	6	8	1	5	7	4
2	9	8	3	1	5	7	4	6
6	4	1	8	2	7	3	9	5
3	5	7	4	6	9	8	2	1
8	2	3	7	5	6	4	1	9
7	6	9	1	4	8	2	5	3
4	1	5	9	3	2	6	8	7

Solution 173

5	1	8	2	6	9	7	4	3
4	7	6	1	8	3	5	9	2
3	9	2	4	5	7	6	8	1
2	6	1	8	7	5	9	3	4
9	5	3	6	4	2	1	7	8
8	4	7	9	3	1	2	6	5
1	3	5	7	9	8	4	2	6
6	8	9	5	2	4	3	1	7
7	2	4	3	1	6	8	5	9

Solution 174

2	4	6	3	9	5	7	8	1
8	1	7	2	4	6	5	3	9
5	9	3	1	8	7	2	6	4
6	8	1	9	5	2	3	4	7
7	3	5	8	6	4	1	9	2
4	2	9	7	3	1	8	5	6
3	7	8	4	1	9	6	2	5
9	6	2	5	7	8	4	1	3
1	5	4	6	2	3	9	7	8

Solution 175

8	9	6	2	1	4	3	5	7
2	3	1	7	8	5	9	4	6
7	4	5	9	6	3	2	1	8
5	7	4	3	9	2	6	8	1
3	1	9	8	4	6	7	2	5
6	8	2	1	5	7	4	3	9
9	2	3	5	7	1	8	6	4
4	5	7	6	2	8	1	9	3
1	6	8	4	3	9	5	7	2

Solution 176

4	3	7	9	8	6	2	5	1
6	9	2	1	3	5	7	8	4
5	8	1	4	7	2	9	3	6
9	2	5	8	6	1	3	4	7
8	1	4	7	9	3	6	2	5
3	7	6	2	5	4	8	1	9
7	5	9	3	4	8	1	6	2
1	6	3	5	2	7	4	9	8
2	4	8	6	1	9	5	7	3

Solution 177

3	2	7	1	9	8	5	4	6
4	5	9	6	7	3	2	1	8
8	6	1	4	5	2	7	9	3
2	9	8	5	6	4	3	7	1
5	4	6	3	1	7	8	2	9
7	1	3	2	8	9	6	5	4
1	7	4	8	2	6	9	3	5
6	3	2	9	4	5	1	8	7
9	8	5	7	3	1	4	6	2

Solution 178

6	7	1	9	2	4	5	3	8
2	8	4	3	5	1	6	9	7
3	5	9	6	7	8	2	4	1
4	2	8	7	1	6	3	5	9
1	9	5	4	3	2	8	7	6
7	6	3	5	8	9	1	2	4
8	4	2	1	9	5	7	6	3
9	1	7	2	6	3	4	8	5
5	3	6	8	4	7	9	1	2

Solution 179

3	2	6	7	5	4	1	9	8
1	9	5	8	2	6	7	4	3
8	4	7	3	1	9	5	2	6
9	7	8	6	3	1	4	5	2
2	6	1	4	8	5	9	3	7
4	5	3	2	9	7	8	6	1
7	1	9	5	6	2	3	8	4
5	3	2	1	4	8	6	7	9
6	8	4	9	7	3	2	1	5

Solution 180

5	2	3	8	4	1	7	6	9
7	1	9	3	6	2	8	5	4
8	6	4	5	9	7	3	1	2
1	3	7	2	8	4	6	9	5
6	9	2	1	7	5	4	3	8
4	8	5	6	3	9	2	7	1
2	7	1	4	5	3	9	8	6
3	5	6	9	2	8	1	4	7
9	4	8	7	1	6	5	2	3

SOLUTIONS

Solution 181

2	9	4	1	5	6	3	7	8
1	6	3	8	7	9	4	5	2
7	5	8	3	2	4	9	6	1
8	7	6	4	3	2	5	1	9
5	3	9	6	8	1	7	2	4
4	1	2	7	9	5	6	8	3
3	8	1	5	4	7	2	9	6
9	4	7	2	6	8	1	3	5
6	2	5	9	1	3	8	4	7

Solution 182

2	9	4	1	3	8	6	7	5
7	6	8	9	5	2	1	4	3
5	3	1	6	7	4	2	9	8
6	5	3	4	2	1	9	8	7
8	1	2	7	9	5	4	3	6
9	4	7	8	6	3	5	1	2
3	8	9	5	1	6	7	2	4
4	7	6	2	8	9	3	5	1
1	2	5	3	4	7	8	6	9

Solution 183

6	3	8	9	1	2	7	5	4
1	4	9	5	7	3	2	6	8
7	5	2	6	8	4	3	1	9
4	2	5	3	9	1	8	7	6
8	9	6	2	5	7	1	4	3
3	7	1	4	6	8	9	2	5
9	6	7	1	3	5	4	8	2
2	1	3	8	4	6	5	9	7
5	8	4	7	2	9	6	3	1

Solution 184

6	1	5	3	9	2	8	4	7
9	3	8	5	4	7	1	6	2
4	7	2	1	6	8	5	9	3
2	9	3	8	1	4	6	7	5
5	4	1	7	3	6	9	2	8
8	6	7	2	5	9	4	3	1
3	8	4	6	2	1	7	5	9
1	5	9	4	7	3	2	8	6
7	2	6	9	8	5	3	1	4

Solution 185

9	6	4	1	8	7	5	3	2
8	3	2	9	5	6	1	4	7
1	7	5	2	3	4	8	6	9
5	2	9	7	6	1	4	8	3
4	8	6	3	2	9	7	1	5
7	1	3	8	4	5	9	2	6
6	9	7	4	1	2	3	5	8
3	5	1	6	7	8	2	9	4
2	4	8	5	9	3	6	7	1

Solution 186

8	6	4	5	2	1	3	7	9
5	1	2	3	9	7	8	4	6
7	9	3	6	4	8	1	2	5
4	5	1	7	3	2	9	6	8
3	7	9	1	8	6	2	5	4
6	2	8	4	5	9	7	1	3
9	3	5	2	1	4	6	8	7
2	8	7	9	6	5	4	3	1
1	4	6	8	7	3	5	9	2

Solution 187

6	3	2	5	4	9	1	8	7
9	8	5	6	7	1	2	4	3
4	1	7	3	8	2	5	9	6
5	6	1	8	3	4	7	2	9
2	4	9	1	6	7	8	3	5
3	7	8	9	2	5	6	1	4
7	5	3	4	1	8	9	6	2
8	9	4	2	5	6	3	7	1
1	2	6	7	9	3	4	5	8

Solution 188

9	4	6	1	3	7	2	5	8
7	8	2	4	5	9	3	6	1
1	5	3	6	2	8	7	4	9
2	1	5	7	4	3	8	9	6
4	3	9	8	6	5	1	2	7
6	7	8	9	1	2	5	3	4
5	9	1	3	8	4	6	7	2
3	6	7	2	9	1	4	8	5
8	2	4	5	7	6	9	1	3

Solution 189

1	2	6	5	4	9	8	3	7
8	7	3	6	1	2	5	9	4
9	5	4	3	7	8	6	1	2
2	9	8	1	5	3	4	7	6
7	3	5	4	8	6	9	2	1
4	6	1	9	2	7	3	5	8
3	8	2	7	6	5	1	4	9
5	4	7	8	9	1	2	6	3
6	1	9	2	3	4	7	8	5

SOLUTIONS

Solution 190

4	2	6	1	5	7	9	3	8
5	8	3	2	4	9	1	6	7
7	9	1	8	3	6	5	4	2
1	6	8	3	2	5	7	9	4
2	4	7	9	6	1	3	8	5
3	5	9	4	7	8	2	1	6
9	7	4	6	1	2	8	5	3
6	1	5	7	8	3	4	2	9
8	3	2	5	9	4	6	7	1

Solution 191

1	2	5	3	8	6	7	4	9
8	3	6	4	7	9	1	5	2
7	9	4	5	1	2	8	3	6
9	7	2	1	6	4	3	8	5
5	4	8	7	2	3	9	6	1
6	1	3	9	5	8	2	7	4
2	5	7	6	3	1	4	9	8
3	8	9	2	4	5	6	1	7
4	6	1	8	9	7	5	2	3

Solution 192

7	1	9	4	3	5	2	6	8
5	8	3	2	7	6	1	9	4
6	2	4	1	9	8	5	3	7
3	9	2	8	6	7	4	1	5
8	5	7	3	1	4	6	2	9
4	6	1	5	2	9	7	8	3
9	3	6	7	5	1	8	4	2
1	4	5	9	8	2	3	7	6
2	7	8	6	4	3	9	5	1

Solution 193

4	5	2	6	3	1	8	7	9
7	1	8	9	5	4	6	2	3
9	6	3	2	8	7	1	5	4
3	8	1	7	6	5	9	4	2
2	9	4	3	1	8	7	6	5
5	7	6	4	9	2	3	8	1
8	3	7	5	2	9	4	1	6
1	2	9	8	4	6	5	3	7
6	4	5	1	7	3	2	9	8

Solution 194

4	6	8	5	1	2	7	3	9
9	5	2	8	7	3	4	6	1
7	3	1	9	4	6	2	5	8
5	8	4	2	6	1	3	9	7
1	7	3	4	5	9	6	8	2
2	9	6	3	8	7	5	1	4
3	1	5	7	9	4	8	2	6
6	2	7	1	3	8	9	4	5
8	4	9	6	2	5	1	7	3

Solution 195

2	6	4	5	7	3	8	9	1
1	3	9	2	4	8	7	6	5
8	5	7	9	6	1	4	3	2
5	2	8	1	3	6	9	4	7
9	4	6	8	5	7	1	2	3
7	1	3	4	9	2	5	8	6
6	8	5	3	1	4	2	7	9
3	9	2	7	8	5	6	1	4
4	7	1	6	2	9	3	5	8

Solution 196

4	1	5	2	9	3	7	8	6
6	7	2	8	1	5	4	9	3
9	3	8	7	4	6	5	2	1
1	5	9	3	7	8	6	4	2
7	8	4	1	6	2	3	5	9
2	6	3	9	5	4	1	7	8
3	4	7	6	8	9	2	1	5
5	9	6	4	2	1	8	3	7
8	2	1	5	3	7	9	6	4

Solution 197

6	8	1	5	2	4	7	9	3
2	5	4	3	9	7	8	6	1
9	3	7	6	8	1	4	2	5
5	9	6	8	3	2	1	4	7
1	7	8	9	4	6	3	5	2
3	4	2	1	7	5	6	8	9
8	6	5	7	1	9	2	3	4
4	1	3	2	5	8	9	7	6
7	2	9	4	6	3	5	1	8

Solution 198

3	4	6	2	8	5	7	9	1
8	9	7	4	1	6	5	3	2
5	1	2	7	3	9	6	8	4
1	6	3	5	9	4	8	2	7
4	7	5	3	2	8	9	1	6
9	2	8	6	7	1	4	5	3
7	8	4	1	5	2	3	6	9
6	5	1	9	4	3	2	7	8
2	3	9	8	6	7	1	4	5

SOLUTIONS

Solution 199

1	7	2	3	8	9	5	4	6
8	6	9	4	2	5	7	1	3
5	3	4	1	6	7	9	8	2
2	8	5	6	1	3	4	7	9
7	4	1	9	5	2	3	6	8
3	9	6	8	7	4	1	2	5
6	5	7	2	9	1	8	3	4
4	1	8	5	3	6	2	9	7
9	2	3	7	4	8	6	5	1

Solution 200

7	9	6	2	5	3	8	1	4
5	2	8	6	4	1	7	3	9
1	4	3	7	9	8	6	5	2
9	7	4	3	8	5	2	6	1
3	6	5	1	2	4	9	7	8
2	8	1	9	7	6	5	4	3
6	1	9	5	3	2	4	8	7
8	3	7	4	6	9	1	2	5
4	5	2	8	1	7	3	9	6

Solution 201

3	1	4	2	9	8	7	5	6
5	6	7	4	3	1	9	8	2
9	2	8	6	7	5	3	1	4
4	8	3	9	2	7	1	6	5
6	7	9	1	5	4	2	3	8
1	5	2	8	6	3	4	7	9
8	4	6	3	1	2	5	9	7
7	9	1	5	4	6	8	2	3
2	3	5	7	8	9	6	4	1

Solution 202

4	5	1	3	8	7	2	6	9
8	2	7	5	9	6	3	1	4
9	6	3	1	4	2	5	8	7
2	4	5	6	1	8	9	7	3
1	7	8	4	3	9	6	5	2
3	9	6	7	2	5	1	4	8
6	3	2	8	5	4	7	9	1
7	8	9	2	6	1	4	3	5
5	1	4	9	7	3	8	2	6

Solution 203

9	7	1	5	6	2	8	3	4
5	2	3	8	9	4	7	1	6
6	8	4	7	1	3	9	2	5
3	4	5	9	8	6	2	7	1
7	6	8	4	2	1	3	5	9
1	9	2	3	5	7	6	4	8
8	3	9	1	7	5	4	6	2
2	5	7	6	4	9	1	8	3
4	1	6	2	3	8	5	9	7

Solution 204

3	6	7	5	1	4	8	9	2
2	8	9	3	7	6	1	5	4
5	1	4	9	8	2	6	3	7
4	3	6	2	9	7	5	1	8
7	2	8	1	6	5	3	4	9
9	5	1	4	3	8	7	2	6
1	7	2	6	4	3	9	8	5
6	4	3	8	5	9	2	7	1
8	9	5	7	2	1	4	6	3

Solution 205

9	8	5	2	7	1	3	4	6
3	1	7	9	4	6	2	5	8
2	4	6	5	3	8	7	9	1
4	6	1	7	2	3	9	8	5
8	7	2	1	5	9	4	6	3
5	3	9	8	6	4	1	2	7
1	5	8	3	9	2	6	7	4
6	9	3	4	8	7	5	1	2
7	2	4	6	1	5	8	3	9

Solution 206

6	5	9	4	8	2	1	7	3
1	4	3	7	6	5	9	2	8
8	7	2	3	9	1	6	4	5
3	8	5	6	2	7	4	1	9
9	1	6	5	4	8	7	3	2
7	2	4	9	1	3	5	8	6
2	9	7	8	5	4	3	6	1
4	6	1	2	3	9	8	5	7
5	3	8	1	7	6	2	9	4

Solution 207

2	5	4	8	6	9	1	3	7
3	9	7	1	2	4	8	6	5
8	6	1	5	3	7	9	2	4
6	7	3	9	8	5	2	4	1
5	1	9	6	4	2	3	7	8
4	2	8	7	1	3	6	5	9
7	4	6	3	9	1	5	8	2
9	3	2	4	5	8	7	1	6
1	8	5	2	7	6	4	9	3

SOLUTIONS

Solution 208

5	7	6	4	9	1	3	8	2
9	2	3	6	8	5	7	4	1
4	1	8	7	2	3	9	6	5
1	9	2	5	7	8	6	3	4
7	8	5	3	6	4	2	1	9
6	3	4	9	1	2	5	7	8
8	5	7	2	4	6	1	9	3
3	4	9	1	5	7	8	2	6
2	6	1	8	3	9	4	5	7

Solution 209

8	9	2	5	7	3	6	1	4
4	5	7	6	1	2	3	9	8
3	6	1	8	4	9	5	7	2
7	3	6	1	2	5	4	8	9
1	8	9	7	3	4	2	5	6
5	2	4	9	8	6	7	3	1
9	7	3	2	6	1	8	4	5
2	1	8	4	5	7	9	6	3
6	4	5	3	9	8	1	2	7

Solution 210

8	7	1	9	4	6	2	5	3
6	3	4	5	2	1	9	7	8
2	9	5	8	3	7	4	1	6
5	6	9	7	1	3	8	2	4
1	4	3	2	8	9	5	6	7
7	2	8	6	5	4	1	3	9
9	8	6	1	7	2	3	4	5
3	5	2	4	6	8	7	9	1
4	1	7	3	9	5	6	8	2

Solution 211

8	6	2	4	9	5	7	3	1
3	4	9	7	8	1	6	2	5
7	5	1	6	2	3	9	4	8
5	9	8	1	3	4	2	7	6
2	3	7	8	5	6	4	1	9
6	1	4	9	7	2	5	8	3
1	7	3	2	6	9	8	5	4
9	8	5	3	4	7	1	6	2
4	2	6	5	1	8	3	9	7

Solution 212

2	7	1	6	3	4	8	5	9
3	5	6	2	9	8	7	4	1
9	8	4	7	5	1	2	6	3
4	1	2	5	7	3	9	8	6
6	3	8	1	2	9	4	7	5
5	9	7	4	8	6	3	1	2
7	6	5	3	4	2	1	9	8
1	2	9	8	6	7	5	3	4
8	4	3	9	1	5	6	2	7

Solution 213

4	3	1	2	5	8	7	9	6
6	7	2	3	9	4	5	8	1
8	5	9	7	6	1	2	4	3
1	2	5	6	4	3	9	7	8
7	4	3	8	1	9	6	5	2
9	6	8	5	7	2	3	1	4
2	9	6	4	8	5	1	3	7
5	8	7	1	3	6	4	2	9
3	1	4	9	2	7	8	6	5

Solution 214

8	1	4	3	6	5	7	2	9
9	6	7	2	8	4	1	5	3
5	2	3	1	7	9	6	8	4
6	3	9	7	1	2	8	4	5
4	7	1	5	3	8	2	9	6
2	5	8	4	9	6	3	1	7
7	9	2	8	5	3	4	6	1
1	8	6	9	4	7	5	3	2
3	4	5	6	2	1	9	7	8

Solution 215

7	5	6	3	9	4	8	1	2
1	3	4	8	7	2	6	9	5
2	9	8	5	1	6	3	7	4
8	7	3	2	4	5	1	6	9
4	1	2	9	6	7	5	3	8
9	6	5	1	3	8	4	2	7
5	4	7	6	2	3	9	8	1
3	8	9	7	5	1	2	4	6
6	2	1	4	8	9	7	5	3

Solution 216

3	4	5	8	2	6	9	7	1
9	2	8	5	7	1	6	3	4
1	6	7	9	4	3	2	8	5
5	8	6	3	1	9	4	2	7
7	3	9	4	8	2	1	5	6
2	1	4	7	6	5	3	9	8
6	5	3	1	9	8	7	4	2
4	9	1	2	5	7	8	6	3
8	7	2	6	3	4	5	1	9

SUDOKU

SOLUTIONS

Solution 217

5	4	6	8	2	1	3	7	9
2	7	1	9	6	3	8	4	5
3	9	8	4	5	7	1	6	2
6	8	9	5	3	4	2	1	7
4	1	2	7	9	6	5	3	8
7	3	5	1	8	2	6	9	4
1	5	7	6	4	8	9	2	3
9	6	3	2	7	5	4	8	1
8	2	4	3	1	9	7	5	6

Solution 218

6	3	7	8	2	9	5	4	1
4	8	5	3	1	7	6	2	9
9	2	1	5	4	6	3	7	8
7	4	6	2	9	1	8	3	5
8	9	2	7	5	3	1	6	4
1	5	3	6	8	4	7	9	2
5	6	8	4	7	2	9	1	3
3	1	4	9	6	5	2	8	7
2	7	9	1	3	8	4	5	6

Solution 219

2	1	3	9	4	7	5	8	6
4	7	5	3	8	6	2	9	1
6	8	9	1	5	2	4	3	7
8	3	6	2	9	5	7	1	4
1	5	4	8	7	3	9	6	2
9	2	7	6	1	4	3	5	8
5	6	2	7	3	8	1	4	9
3	9	8	4	2	1	6	7	5
7	4	1	5	6	9	8	2	3

Solution 220

5	8	4	6	3	7	1	2	9
9	7	1	8	5	2	4	6	3
3	6	2	9	4	1	8	7	5
2	3	8	5	7	6	9	1	4
7	4	9	1	2	3	5	8	6
1	5	6	4	9	8	7	3	2
6	9	7	3	1	4	2	5	8
8	2	5	7	6	9	3	4	1
4	1	3	2	8	5	6	9	7

Solution 221

8	9	6	4	2	3	1	7	5
2	5	3	7	1	6	4	8	9
4	7	1	5	9	8	6	2	3
9	2	5	3	8	4	7	6	1
1	4	7	2	6	5	9	3	8
3	6	8	1	7	9	2	5	4
7	3	4	6	5	1	8	9	2
5	8	2	9	4	7	3	1	6
6	1	9	8	3	2	5	4	7

Solution 222

7	9	1	6	4	2	3	8	5
6	2	5	1	3	8	9	4	7
3	8	4	9	5	7	1	6	2
8	6	7	5	9	1	4	2	3
4	3	2	7	8	6	5	9	1
1	5	9	3	2	4	8	7	6
5	4	8	2	7	3	6	1	9
2	1	3	8	6	9	7	5	4
9	7	6	4	1	5	2	3	8

Solution 223

2	9	8	1	3	4	5	7	6
5	3	1	6	9	7	2	8	4
7	4	6	5	8	2	9	1	3
3	2	9	8	5	1	4	6	7
8	5	7	4	2	6	1	3	9
6	1	4	3	7	9	8	2	5
1	6	3	9	4	8	7	5	2
4	7	5	2	1	3	6	9	8
9	8	2	7	6	5	3	4	1

Solution 224

5	9	3	7	4	1	6	2	8
7	8	1	9	2	6	5	3	4
6	4	2	5	8	3	9	7	1
8	3	5	6	9	2	4	1	7
2	7	9	4	1	8	3	5	6
4	1	6	3	5	7	8	9	2
3	6	4	1	7	9	2	8	5
1	5	8	2	3	4	7	6	9
9	2	7	8	6	5	1	4	3

Solution 225

9	3	6	4	2	5	7	1	8
2	8	5	3	1	7	4	9	6
4	7	1	8	9	6	3	2	5
1	4	7	5	3	9	6	8	2
8	5	2	6	7	1	9	3	4
3	6	9	2	4	8	5	7	1
6	1	3	7	5	2	8	4	9
7	9	8	1	6	4	2	5	3
5	2	4	9	8	3	1	6	7

SOLUTIONS

Solution 226

8	2	5	7	1	4	3	9	6
3	6	1	5	9	2	7	4	8
9	7	4	6	8	3	5	1	2
5	4	9	2	3	6	1	8	7
1	3	6	9	7	8	4	2	5
7	8	2	1	4	5	6	3	9
2	1	8	3	5	7	9	6	4
4	9	7	8	6	1	2	5	3
6	5	3	4	2	9	8	7	1

Solution 227

3	9	6	8	5	2	4	7	1
1	2	7	6	9	4	8	5	3
8	4	5	3	7	1	6	2	9
6	5	1	9	4	7	3	8	2
2	8	4	5	3	6	1	9	7
7	3	9	2	1	8	5	6	4
4	1	2	7	8	5	9	3	6
9	6	8	4	2	3	7	1	5
5	7	3	1	6	9	2	4	8

Solution 228

9	7	2	5	1	6	8	4	3
4	1	3	7	8	9	5	6	2
6	5	8	4	2	3	9	1	7
7	4	9	1	6	2	3	8	5
3	2	5	9	4	8	1	7	6
1	8	6	3	5	7	4	2	9
8	6	1	2	9	5	7	3	4
5	3	4	6	7	1	2	9	8
2	9	7	8	3	4	6	5	1

Solution 229

8	3	9	1	5	4	2	7	6
4	1	7	6	9	2	5	3	8
2	6	5	8	3	7	1	4	9
5	8	3	2	7	6	4	9	1
9	7	6	4	1	5	3	8	2
1	4	2	9	8	3	6	5	7
6	9	4	5	2	8	7	1	3
3	5	1	7	6	9	8	2	4
7	2	8	3	4	1	9	6	5

Solution 230

5	6	8	7	4	9	1	2	3
7	1	3	8	5	2	4	9	6
9	4	2	1	3	6	8	5	7
1	5	6	2	7	3	9	8	4
3	8	7	4	9	5	6	1	2
4	2	9	6	1	8	3	7	5
6	9	1	3	2	7	5	4	8
8	7	5	9	6	4	2	3	1
2	3	4	5	8	1	7	6	9

Solution 231

5	3	7	6	1	8	9	2	4
8	9	4	7	2	5	1	3	6
1	2	6	9	3	4	7	5	8
7	6	5	1	4	3	2	8	9
4	1	3	8	9	2	5	6	7
9	8	2	5	7	6	4	1	3
3	5	1	4	8	9	6	7	2
6	4	8	2	5	7	3	9	1
2	7	9	3	6	1	8	4	5

Solution 232

4	9	5	6	8	3	1	7	2
3	1	7	9	2	4	6	8	5
6	2	8	1	5	7	9	4	3
9	3	2	5	1	8	4	6	7
5	8	4	2	7	6	3	1	9
1	7	6	3	4	9	5	2	8
8	5	3	7	6	1	2	9	4
7	6	9	4	3	2	8	5	1
2	4	1	8	9	5	7	3	6

Solution 233

4	2	5	3	8	1	7	6	9
9	6	3	7	4	5	8	1	2
7	1	8	6	2	9	4	5	3
3	4	1	5	7	2	6	9	8
8	5	7	9	6	3	1	2	4
6	9	2	8	1	4	5	3	7
2	8	4	1	3	6	9	7	5
5	7	6	2	9	8	3	4	1
1	3	9	4	5	7	2	8	6

Solution 234

7	5	8	3	1	4	2	9	6
2	3	1	6	8	9	4	5	7
9	6	4	7	5	2	8	1	3
6	1	9	4	2	8	3	7	5
4	7	3	5	6	1	9	8	2
8	2	5	9	7	3	1	6	4
5	9	2	8	3	7	6	4	1
3	4	7	1	9	6	5	2	8
1	8	6	2	4	5	7	3	9

SOLUTIONS

Solution 235

4	8	7	6	3	2	9	5	1
9	2	3	4	5	1	8	7	6
1	5	6	9	8	7	3	2	4
3	9	2	7	6	4	5	1	8
5	1	8	3	2	9	6	4	7
7	6	4	5	1	8	2	3	9
2	4	5	8	7	6	1	9	3
8	3	9	1	4	5	7	6	2
6	7	1	2	9	3	4	8	5

Solution 236

6	1	7	3	9	4	8	2	5
4	9	8	6	2	5	7	1	3
5	2	3	7	1	8	6	9	4
8	7	9	4	3	2	1	5	6
1	6	4	5	7	9	3	8	2
3	5	2	8	6	1	9	4	7
7	8	1	2	4	6	5	3	9
2	3	5	9	8	7	4	6	1
9	4	6	1	5	3	2	7	8

Solution 237

8	9	1	2	3	5	4	6	7
4	2	6	1	9	7	3	8	5
5	7	3	8	4	6	1	2	9
7	6	4	9	8	1	5	3	2
9	3	5	6	2	4	8	7	1
2	1	8	5	7	3	9	4	6
1	8	7	3	5	2	6	9	4
6	4	9	7	1	8	2	5	3
3	5	2	4	6	9	7	1	8

Solution 238

4	7	5	9	2	6	1	8	3
9	3	8	1	5	7	2	4	6
1	6	2	4	3	8	7	5	9
7	2	9	8	4	1	6	3	5
5	1	3	2	6	9	4	7	8
8	4	6	5	7	3	9	1	2
2	8	4	7	9	5	3	6	1
6	5	7	3	1	2	8	9	4
3	9	1	6	8	4	5	2	7

Solution 239

5	4	8	6	1	7	3	2	9
3	2	7	4	8	9	1	5	6
9	1	6	3	2	5	7	8	4
6	9	1	8	7	4	5	3	2
4	8	2	5	6	3	9	7	1
7	3	5	1	9	2	4	6	8
2	5	4	9	3	6	8	1	7
1	7	9	2	5	8	6	4	3
8	6	3	7	4	1	2	9	5

Solution 240

9	1	8	6	5	7	2	3	4
4	7	3	8	9	2	1	6	5
2	5	6	3	1	4	7	8	9
6	8	5	9	2	1	4	7	3
1	3	4	7	8	6	5	9	2
7	9	2	4	3	5	8	1	6
3	2	1	5	6	8	9	4	7
8	6	7	2	4	9	3	5	1
5	4	9	1	7	3	6	2	8

Solution 241

1	7	8	9	3	6	5	4	2
6	2	3	4	7	5	1	8	9
9	5	4	8	2	1	3	6	7
2	1	9	5	4	7	8	3	6
5	4	6	3	8	2	7	9	1
8	3	7	6	1	9	4	2	5
3	6	1	2	5	4	9	7	8
7	8	2	1	9	3	6	5	4
4	9	5	7	6	8	2	1	3

Solution 242

5	8	2	7	6	1	3	4	9
9	3	6	8	2	4	5	1	7
7	4	1	9	3	5	2	8	6
2	7	8	1	9	6	4	5	3
1	5	3	4	7	2	9	6	8
4	6	9	5	8	3	1	7	2
6	9	4	2	1	7	8	3	5
3	2	5	6	4	8	7	9	1
8	1	7	3	5	9	6	2	4

Solution 243

4	8	5	7	3	6	2	9	1
2	6	9	4	1	8	3	5	7
7	1	3	5	2	9	4	8	6
8	3	2	9	7	1	6	4	5
6	9	7	8	4	5	1	3	2
1	5	4	2	6	3	9	7	8
9	4	6	1	5	7	8	2	3
3	7	8	6	9	2	5	1	4
5	2	1	3	8	4	7	6	9

SOLUTIONS

Solution 244

3	9	2	4	1	8	7	6	5
7	6	4	5	3	2	1	8	9
5	1	8	6	7	9	2	4	3
6	3	7	8	4	1	5	9	2
1	2	9	7	5	6	4	3	8
4	8	5	9	2	3	6	1	7
9	4	1	2	8	5	3	7	6
8	5	3	1	6	7	9	2	4
2	7	6	3	9	4	8	5	1

Solution 245

3	7	2	1	6	5	9	8	4
8	6	4	2	9	7	5	3	1
5	9	1	4	3	8	2	7	6
4	2	5	8	1	3	6	9	7
6	1	3	9	7	4	8	2	5
9	8	7	5	2	6	1	4	3
7	5	6	3	8	9	4	1	2
1	4	8	7	5	2	3	6	9
2	3	9	6	4	1	7	5	8

Solution 246

1	2	6	4	7	5	9	3	8
9	7	4	2	3	8	6	1	5
5	3	8	9	6	1	4	7	2
7	5	1	3	9	2	8	4	6
6	4	9	8	5	7	1	2	3
2	8	3	6	1	4	5	9	7
4	9	2	5	8	3	7	6	1
8	6	7	1	2	9	3	5	4
3	1	5	7	4	6	2	8	9

Solution 247

2	3	1	5	6	7	9	4	8
5	9	8	1	4	2	7	6	3
7	4	6	8	9	3	1	2	5
3	2	5	7	1	4	6	8	9
1	6	7	9	3	8	2	5	4
9	8	4	2	5	6	3	1	7
6	1	9	3	8	5	4	7	2
4	5	2	6	7	9	8	3	1
8	7	3	4	2	1	5	9	6

Solution 248

3	2	9	8	4	6	1	5	7
7	4	5	9	1	3	8	2	6
1	6	8	7	5	2	4	3	9
5	8	2	4	3	7	6	9	1
6	9	7	1	2	5	3	8	4
4	1	3	6	8	9	2	7	5
9	7	4	2	6	8	5	1	3
2	3	6	5	7	1	9	4	8
8	5	1	3	9	4	7	6	2

Solution 249

8	7	5	4	2	1	6	3	9
6	3	9	8	5	7	1	2	4
2	4	1	9	3	6	7	5	8
3	2	8	7	1	9	5	4	6
5	9	4	6	8	2	3	1	7
7	1	6	3	4	5	9	8	2
1	6	3	2	7	8	4	9	5
9	5	2	1	6	4	8	7	3
4	8	7	5	9	3	2	6	1

Solution 250

2	7	3	4	6	9	1	5	8
5	8	4	2	1	3	7	6	9
9	1	6	7	5	8	2	3	4
1	3	9	8	4	6	5	7	2
6	2	8	5	3	7	4	9	1
7	4	5	1	9	2	6	8	3
3	9	1	6	2	5	8	4	7
8	5	2	9	7	4	3	1	6
4	6	7	3	8	1	9	2	5

Solution 251

4	2	3	6	1	7	8	9	5
7	5	6	9	8	4	3	1	2
1	8	9	2	3	5	6	4	7
6	4	7	3	9	1	2	5	8
2	3	1	7	5	8	9	6	4
8	9	5	4	6	2	7	3	1
9	7	8	1	4	6	5	2	3
3	1	2	5	7	9	4	8	6
5	6	4	8	2	3	1	7	9

Solution 252

7	9	8	5	3	2	1	4	6
4	3	1	6	7	8	9	2	5
2	5	6	9	4	1	3	7	8
6	4	2	8	5	9	7	3	1
9	8	3	7	1	6	2	5	4
5	1	7	4	2	3	6	8	9
8	7	9	3	6	5	4	1	2
3	2	5	1	9	4	8	6	7
1	6	4	2	8	7	5	9	3

SUDOKU

SOLUTIONS

Solution 253

2	5	6	8	4	3	9	7	1
4	7	8	1	9	5	2	6	3
1	3	9	7	6	2	8	5	4
5	8	1	3	2	7	4	9	6
7	6	4	5	8	9	3	1	2
3	9	2	6	1	4	5	8	7
9	1	3	2	7	8	6	4	5
8	2	7	4	5	6	1	3	9
6	4	5	9	3	1	7	2	8

Solution 254

2	5	6	3	8	7	1	9	4
1	9	7	5	4	2	8	6	3
8	4	3	9	1	6	7	2	5
4	3	9	7	6	1	5	8	2
7	2	1	8	9	5	4	3	6
5	6	8	2	3	4	9	1	7
6	7	4	1	2	9	3	5	8
9	8	2	4	5	3	6	7	1
3	1	5	6	7	8	2	4	9